是如何

贝克特作品选集 8

[爱尔兰] 萨缪尔·贝克特 著

是如何

余中先 译

湖南文艺出版社·长沙

SAMUEL BECKETT
COMMENT C'EST

© 1961 by Les Éditions de Minuit
根据午夜出版社 1961 年法文版翻译
并获简体中文版出版授权

1

曾是如何我援引在皮姆之前和皮姆一起在皮姆之后是如何的三部分我怎么听到的就怎么说嗓音一开始在外嘎嘎从四处传来然后在我心中当它停止喘气时在给我讲述结束给我讲述祈求重现的过去瞬间旧梦或新鲜如同刚刚过去或东西东西永远回忆我怎么听到它们的就怎么说它们淤泥中的喃喃

在我心中它们在外头当它停止喘气时一个老嗓音的碎片在我心中却不是我的嗓音

我的生命最后状态说不清听不清找不见在淤泥中喃喃不清脸下部的简短动作到处失败

终究沉思冥想最好在什么地方原先样子渐渐地我的瞬间不足百万分之一全完了几乎全完某个人听着另一个在记录的人或是同一个

这里便是第一部分曾是如何在皮姆之前我援引
这几乎照着次序来我的生命最后状态所剩下的
碎片我听到它我的生命在多少有序的顺序中我
学会我援引一个规定时刻远远地在后面一段很
长的时间然后从那里出发那时候以及此后某些
时候很长时间的自然次序

第一部分在皮姆之前如何受挫这里不可能人们
不知道人们不说哪来的口袋口袋和我假如那是
我不会的不可能没有力量也没有重要性

生命生命另一个在我一时间里可能有过的光芒
中不可能追溯到那里没有人可以来问我从来不
曾是一时间里在淤泥中的某些形象土地天空生
物某些个在光芒中有时站立

摸上去不错的唯一的口袋小小的装煤口袋五十
公斤装黄麻布的潮湿的我拧紧它它现在就滴水
但很远很远一段很长的时间一开始这一生命最
初的生命迹象完全

然后我撑着胳膊肘起来我援引我看到我钻进里
头在口袋里人们说到口袋钻进胳膊数罐头不可
能用一只手试试永远有一天它将可能

让罐头落在淤泥中把它们重新一个一个地装进口袋里不可能没有力量害怕丢失

没有欲望一小片金枪鱼随后吃发霉了快点我有我永远将有一段时间里

打开吃过的罐头重又装进口袋留在手中我想着它胃口又来了或者不再想着它打开另外一个是这个还是那个这里头有什么东西不对头这是我生命的开始目前的撰写

另一些确定物淤泥黑暗让我们简述一下口袋罐头淤泥黑暗寂静孤独眼下就这一切

我看到我自己肚子贴地闭上眼睛没有乌青其他的在后面看到我匍匐在地我张开嘴巴舌头伸出到淤泥中一分钟两分钟口渴没有不能死去在这时候一段很长的时间

光芒中的生命第一个形象一个随便什么人我以我的方式瞧着他远远的从下面在一面镜子中黑夜通过窗户第一个形象

我对自己说他比昨天好好得多了不那么丑不那

么傻不那么凶不那么脏不那么老不那么不幸而我对我自己说而我则是一系列不间断的确定改变

里头有什么东西不对头

我对自己说那不会更糟了我弄错了

我拉屎撒尿另一个形象在我的柳条小摇篮里从此就没有再那么干净过

我用缠有细细彩条的剪刀剪下蝴蝶的翅膀一个接着一个有时候为了换花样同时剪下两个我把那中间的躯体放生从此永远不再那么好

完了眼下我离开那里我听到它淤泥中的喃喃我眼下要离开那里光芒中的生命它熄灭

匍匐在淤泥中黑暗我看到自己这只是一次歇息我旅行而一次休息

问题来了假如我丢了开罐头刀那又是另一个物件或者当口袋空了的时候那种

卑鄙啊卑鄙鉴于此后的时代它还算是英雄时代

什么时候才算完什么时候我的美人每个老鼠都有它的青春期我怎么听到的就怎么说

膝盖往上顶脊背弓成圆箍我抓住口袋贴着我的肚皮这时候我看到我筋疲力尽我抓住口袋人们说到口袋一只手放在背后我不松手地把它从脑袋底下塞过去我永远也不松开它

里头有什么东西不对头

不害怕我援引失去它别的东西人们不知道人们不说当它空了时我会把脑袋伸进去然后是肩膀我的脑袋将碰到它的底

别的形象已经有一个女人抬起了脑袋瞧着我一开始就有形象来第一部分它们将停止我怎么听到的就怎么说淤泥中的喃喃一个个形象第一部分在皮姆之前曾是如何我看到它们在淤泥中它发亮它们将停止一个女人我看见她在淤泥中

她在远处十米之外十五米之外她抬起脑袋瞧着我心里说总算不错他在工作

我的脑袋我的脑袋在哪里它耷拉在桌子上我的手在桌子上发抖她看得很清楚我没有睡着风在

猛烈地吹着小小的云彩飘得飞快桌子在航行从阴影到光亮再从光亮到阴影

没有结束她目光蒙眬又继续她手中的活计针儿停在了中途她站起身来又重新瞧着我她只需要叫一下我的名字站起来摸摸我但是没有

我一动也没有动她的不安在增加她突然离开了家跑到朋友家去了

结束了这不是一个梦我没梦见这些也不是一段记忆人们没有给我什么记忆这一次那是一个形象就像我有时候在淤泥中看到的那样就像我看到的

一个发纸牌人的动作人们还可以在某些播种者那里看到我扔掉空罐头它们落下来没有声音

它们落下来假如我可以相信的话有时候我在我的路上发现它们那时候我重又更厉害地扔掉它们

温乎乎的淤泥原始的黑色的钻不进去的

就像一切不曾是随后却又是的东西那样我突然

走开了不是因为肮脏而是因为别的人们不知道人们不说哪里来的准备猛地就是一连串主体客体主体客体一下接着一下地向前

我从口袋里拿出绳子这又是一个坚实的物体口袋的上端把它吊到了我的脖子上我知道我需要两只手或是直觉不是前者就是后者要向前右腿右胳膊又推又拉十米十五米歇息

在口袋里直到现在有罐头开罐头刀绳子但想要别的东西的欲望人们似乎并没有给过我这一次其他东西跟我在一起的形象在淤泥在黑暗中在口袋中在我够得到的地方不人们似乎没有把这放进过我的生命这一次

有用的东西一块毛巾好擦脸此类的或者摸起来很漂亮的

按照欲望白费劲地在罐头中间一会儿这个一会儿那个地寻找它们之后我因为找得太疲劳而决定等以后我不那么疲劳时再来重新找当时的形象我要等到不那么疲劳时再来或者我试图把它给忘了借口对自己没错没错别再想它了

不要它啦想稍稍不那么难受的愿望想稍稍来点

美的愿望当停止喘气的时候我就听不到任何这样的东西人们并不这样地对我讲这一次

也不要拜访者来到我的生命中这一次根本不想有拜访者各种各样的从四面八方跑来对我谈到他们谈到生命与死亡就仿佛我这里就没有任何东西能帮助我持续下去然后说一声下次再见各人便回各人的地方

各种各样的老人他们让我把小小的内衣包裹扔到他们的膝盖上然后跟我走进我的生涯

另一些人对我的开始一点都不知道除了他们道听途说的和在档案中查到的一鳞半爪

另一些人只是在我最后的那一站才认识我他们对我说着他们和我也许到最后还说到昙花一现的欢乐以及帝国的苦难它们一朝朝一代代的兴衰交替就仿佛没事人似的

最后还有另一些人还不认识我他们迈着沉重的步伐经过嘴里头嘀嘀咕咕的独自说着什么他们躲避到了一个荒芜之地离群索居以便流露出心中的情怀而又不至于背叛自己

假如他们看到我我是一个孤独的魔鬼他是第一次看到人而没有逃走探险家在他们的行李中带回毛皮

突然在远处有脚步有嗓音什么都没有然后突然有某种东西某种东西然后突然什么都没有突然在远处一片寂静

于是就活着而没有拜访者目前的撰写没有其他故事只有我的故事没有其他声音只有我的声音没有其他的沉默只有我应该去打破的沉默假如我不想再要它了的话我要过的日子正是这样

问题假如别的居民显然一切都在那里四分之三还有精细得吓人的长久的辩论许多场合都肯定但最后结论为否定只有我一人入选这停止了喘气我只勉强听见了这个问题回答都很轻假如戎以外的别的居民在这里跟我住在一起在黑暗中淤泥中长久的辩论输掉了结论否定我一人入选

然而一个梦人们给我一个梦就像给某个人他可能品尝到了一个在我掌握中的小小女人的爱而她也做了梦也是在一个在她掌握中的小小男人的梦中我的生命中有了这个这一次有几次第一部分在旅行中

或者由于没有一块同类的肉一个喇嘛梦见了皱襞一个喇嘛梦见了羊驼我有这很自然的故事

他不会来我这里我会去他那里蜷缩在他的羊毛丛中但是人们补充说这里一个畜生没有灵魂但严格地来说也有智力每个都有一点点尊严假如不是太多的话

我转向我的手空着的那只手我把它伸到我的脸上当一切都缺少时这是一个本领形象梦想睡眠思维的物质里头有什么东西不对头

缺少极大的需要需要走得更远需要吃和吐而其他的极大需要关于我生存的所有大类别

于是我的手转向它空着的那只手而不是身体的另一部分我怎么听到的就怎么说脸的下部的简短动作带着淤泥中的喃喃

它来到了我的眼睛旁我没有看到它我闭上眼睛还缺少什么东西而在正常时刻闭上睁开我的眼睛

假如这还不够的话我就挥动我的手人们说到我

的手十秒钟十五秒钟我闭上眼睛一道幕布落下

假如这还不够的话我把他放在我的脸上它把它都遮住但是我不喜欢摸自己人们没有把这给我留下这一次

我叫她她不来我绝对要她我使尽了吃奶的力气叫她但那还是不够响我又变成平凡人

我记忆很显然这停止了喘气同样是我记忆的问题很显然一切同样都在这里四分之三这一嗓音确实会变化留在我心中的那么少依然是碎片勉强能听见当这停止喘气时那么少那么低也许百万分之一我怎么听到的就怎么说淤泥中的喃喃每个词永远

关于它我的记忆有什么人们说到我的记忆它没有什么改善它掌握到有些东西回到我身上没有任何东西回到我身上但是从那里要确信

要确信没有任何人将再来用他的灯瞄准我永远不再来别的白天别的黑夜都不会

随后另外一个形象还有一个已经第三个也许它们马上就会停止是我整个儿还有我母亲的脸我

从下面看到它它什么东西都不像

我们在一个游廊上带有栅栏被马鞭草堵塞芬芳的阳光闪闪发亮红色的方砖完美无比

巨大的脑袋戴着花和鸟的头饰低下来朝向我的鬈发眼睛燃烧着严肃的爱我为她送上我的眼睛苍白的抬起理想的角度朝着天空我们的支援就从那里来我也许已经知道了这点随着时间的消逝

一下子直冲跪下在一个漂浮的垫子上在一件睡衣中双手交合关节嘎嘎响我按照她的指示祈祷

还没有结束她闭上眼睛朗诵一小段信经称为使徒列传我偷偷地盯着她的嘴唇

她结束她的眼睛亮了起来我又很快地抬起我的眼睛歪里歪斜地重复

昆虫鼓动翅膀嗡嗡地飞在空中

结束了它熄灭了就像一盏被人吹灭的油灯

一瞬间在过去的一瞬间我的过去全过去了小老

鼠在我的鞋跟上其余的都虚假

虚假这旧时光第一部分曾是如何在皮姆之前一段很长的时间十分惊讶于还能如此我拖拉着我拖拉着绳子摩擦着我的脖子口袋在我的体侧晃荡一只手向前甩向墙壁壕沟它们永远不会过来里头有什么东西不对头

皮姆第二部分我对他所做的他所说的

虚构如同这个死脑袋还活着的手被云彩晃荡过的小桌子一下子站起来的女人投身到外面进入风中

无所谓我不再说了我始终援引是我吗是我吗我已经不再是那个人了这一次人们把我给取消了我只是说如何持续如何持续

第一部分在皮姆之前在发现皮姆之前最终还是碰到它而不是第二部分和皮姆在一起曾是如何然后第三部分在皮姆之后曾是如何是如何那是很长的时间

只有我的口袋是多变的我的白日我的黑夜我的季节我的今日他对我说永恒的复活节然后猛一

下子万圣节这一年没有夏天假如还是这同一年的话没几天真正的春天全靠我的口袋假如我还在死去在一个正在死去的时代

我的各种各样的罐头正在变小但比胃口要更慢一些不同的形式没有更喜欢的但是手指头勉强会把握住小小的幸福

以何等奇怪的方式在变小但是这里又有什么奇怪的一直就如同平潮好几年期间然后突然少了一半

那些人的那些词为了他们并在他们底下地球转动一切转动那些词还在这里白天黑夜年头季节这个家庭

出错的手指头顺从的嘴巴有一个橄榄接受一个樱桃但是没有更喜欢的我不寻找一种跟我相称跟这里相称的语言我不再寻找

口袋将来当它空了时我的口袋一种拥有这个词轻轻地说了出来这里一种拥有简短的深沟放置最终不规则不规则一个口袋这里我的口袋将来当它空了时哼我有几个世纪的时间

几个世纪我看到自己很小很小跟已经有过的样子差不多但还要更小些很小很小有更多的东西更多的吃穿我活着空气喂养我淤泥我始终活着

别的关系的口袋我把它抱在我的怀里对它说话把我的脑袋往里钻把我的脸往里面蹭把我的嘴往里面放生气地扭转身离开它又重新紧紧靠着它对它说你你

我说我说第一部分没有声音音节推动我的嘴唇整个围绕着整个的下部这有助于我理解

这就是人们给我的话语第一部分在皮姆之前问题假如我使用很多的问题人们不说或者人们不听这前者或是后者人们说一个证人说我需要有个证人

他活着朝我俯下身来这就是人们给他的生命我的整个看得见的表面沉入到了他的灯光中当我走开时他就追随着我弓着脊背

他有一个助手坐得稍稍有些远他用脸的下部对他发出简短的动作助手把它记录在他的本子中

我的手不过来字词不过来没有任何词甚至哑巴

我需要它我的手的一个词大大的需要我不能那也一样

幽默的意义的退化哭泣同样更少它也是它也缺少那里依然是形象一个小男孩坐在黑暗中的一张床上或者一个小老头我看不见他双手抱着脑袋无论她是年轻还是年老我把这颗心归于我自己

问题我是不是现在很幸福始终有一些东西是那么地古老我是不是有时候有一点点幸福第一部分在皮姆之前简短的深沟最底下不小小的脚注最底下没有做很少做为了幸福不幸心灵的平静

老鼠哦不这一次不再有老鼠我让它们恶心这时候还有什么第一部分在皮姆之前一段很长的时间

贪婪的手如钩子一样深入没碰到熟悉的烂泥而是一个屁股在肚子上它也是这个还有什么够了我出发了

不要脏东西别的东西我重又出发口袋挂在脖子上我准备好了第一个东西给一条腿以场地那条简短的深沟最底下右腿这更好

我筋疲力尽往一侧倒下哪一侧左侧这更好右手挥向前弯曲右膝盖这些关节在起作用手指头抠进去脚尖抠进去这就是插头说烂泥是过头了说插头是过头了一切都是过头了我怎么听到的就怎么说

推一推拉一拉腿放松胳膊弯曲所有这些关节在起作用脑袋到了手的水平上在肚子上休息

另一侧左腿左胳膊推一推拉一拉脑袋和躯干的上部相脱离那么多的摩擦至少会倒下我四脚着地攀爬十米十五米歇息

睡眠睡眠的持续时间我醒来没什么多少走向最后

幻想人们给我一个幻想它停止喘气模样神气的钟脑袋在氧气气球中待三十分钟被窒息所唤醒而不是再开始四次六次这够了我被固定休息力量恢复白天可以开始这些碎片一个幻想的最底下

总是睡眠很少睡眠就这样这一次人们试图向我讲述吞咽吐出打哈欠打哈欠总是睡眠很少睡眠

这个嗓音嘎嘎然后在我心中嘎嘎当它停止喘气时第三部分在皮姆之后不是在之前不是与之在一起我旅行了找到了皮姆丢失了皮姆结束了我在第三部分在皮姆之后曾是如何是如何我怎么听到的就怎么说按照次序多多少少成碎片在淤泥中我的生命淤泥里的喃喃

我得知它在次序中大致在皮姆之前和皮姆一起很长的时间我的生命消失曾是如何然后之后现在在皮姆之后是如何我的生命碎片

我说它就如同它在次序中那样我的嘴唇嚅动我感觉到它们它出来到淤泥中我的生命余生说不清听不清找不见当它停止喘气时在淤泥中喃喃不清在现在所有这一切那么古老的东西自然次序旅行夫妇抛弃所有这一切在现在最底下碎片

我做了旅行找到皮姆丢失皮姆结束了这一生命这一生命的这些时代第一第二这是第三它喘气停止喘气我听到很轻我如何旅行带着我的口袋我的罐头在黑暗中淤泥中四脚着地攀爬朝向皮姆不知不觉碎片现在那么古老的东西听到它们如此的喃喃声最底下在淤泥中

第一部分在皮姆之前我旅行这不能再持续这持续我更为平静人们以为自己很平静人们其实不平静在最底下人们在边上我怎么听到的就怎么说而死亡死亡假如它万一来到一切都结束了它在死去

它在死去我看见一株番红花在一只花盆里在一个小院子里在地下一株藏红花太阳沿着墙头攀爬一只手把它拉住在那里这朵开在阳光中黄黄的花用一根绳子我看见那只手时间的长长形象太阳消失花盆重又往下落放在地面上手消失墙消失

生命的破旧碎片在阳光中我听见既不否定也不相信我不再说谁在说这已经不再说了这可能没什么意思了但是一些词如现在在皮姆之前那可不那是不说的而我的词我的那些词有一些哑巴了简短的动作整个下部没有声音当我能够时这就是区别混淆

我看到实物大小的一切仿佛那就是我自己这在淤泥中放光祈祷脑袋搭在桌子上番红花哭泣的老人眼泪在天空的双手背后各种各样的不同种类的在地上在墙上从蓝色突然变成金色绿色从地上突然来到淤泥中

但是一些词如现在一些不是我的词在皮姆之前
那可不那是不说的那是区别我在那时和现在之
间听到它在种种相似性中的区别之一

皮姆的词他的嗓音被剥夺他闭嘴我插嘴一切必
要的他继续我会永远听着他但是我的词我的词
都完了自然次序在皮姆之前我说得那么少没有
声音对一个生命我看到的是那么少既不否定也
不相信但是相信什么呢也许相信口袋还有黑暗
淤泥死亡也许在活了那么久之后就完了有的是
时间

如何在这里受挫假如是我没有问题没有力量没
有趣味但是这里我开始的地方这一次目前的撰
写第一部分我的生命抓住口袋它滴水第一个迹
象这地方某些碎片

人们在那里某个地方还活着某个地方一段很长
的时间然后结束人们不再在那里然后人们重又
在那里没有结束一个错该重新开始多少还在老
地方在另一个地方如同新的形象高高地在光明
中人们在医院里恢复知觉在黑暗中

同样的什么地方人们不说我没听见非此即彼同

样的多多少少更潮湿更少一些微光没有任何微
光还说什么呢说我在以前有过微光的某个地方
我怎么听到的就怎么说每个词始终

更潮湿更少一些微光没有任何微光声音缄敛可
贵的声音思辨的借口我肯定是滑到了更低处这
是结尾人们不再在原处人们滑动了这是随后

另一个时代一个依然熟悉的尽管有那些奇特的
东西这只口袋这片烂泥空气的柔和炉灶的黑暗
彩色的形象能够拖拖拉拉所有那些奇特的东西

但是原本意义上的进步未来的废墟如同对珍贵
的十分之一对珍贵的二十分之一有什么可说对
自己对一片蓝色的梦啊假如你曾经看到四百年
前何等的震撼

啊我年轻的朋友这只口袋假如你曾看到过它我
可能刚刚拖过它而现在请看我的头顶摸一摸它
的底部

而我没有一丝皱纹没有一丝

在千百万的钟点之后一个钟点我的钟点十五分
钟有些时候那是因为我受了苦应该受精神之苦

多次地希望同样地绝望心在流血失去了心一滴一滴哭泣甚至有时候在内心中没有任何声音再没有形象再没有旅行再不饿也不渴心走了人来了我有时还听到它那是一些好时候

希望之前的天堂我走出睡眠又返回在两者之间有一切有一切要做要忍受要错过要对付要进行到底在淤泥重新打开之前就想人们要对我说的这一次我的生命在皮姆之前第一部分从这一次到另一次睡眠

然后皮姆丢失的罐头摸着屁股的手叫喊声我的叫喊哑巴了希望生动地诞生存在跟在我后面感觉到心走了听说你来了

和皮姆一起曾经是跟在我后面听说他将会回来另一个会来比皮姆更好他来到右腿右胳膊一推一拉十米十五米留在那里在黑暗中淤泥中安安静静突然一只手落在你身上就如同你的手落在皮姆身上两声叫喊他的叫喊哑巴了

你将有一个细细的嗓音它将勉强刚能被听到你将凑到他的耳边说话一种生命你将有一种小小的生命你你将凑到他的耳边对他说这个那将是另一回事完完全全另一种音乐你将稍稍有些像

皮姆那样看到一种小小的生命的音乐但是在你自己的嘴里它将是崭新的

然后你走掉完完全全没有告别对于时代中的时代或者对于你就将如此不再有旅行不再有夫妇不再有抛弃永远不再有任何地方听到这个

曾是如何在皮姆之前首先说到这个这个自然次序同样的东西同样的东西我怎么听到的就怎么说淤泥中的喃喃一种唯一的永恒变成三种为了更多的光明我醒来整个生命中我走向那里第一部分在皮姆之前曾是如何然后和皮姆一起曾是如何然后除此之外在皮姆之后曾是如何现是如何当它停止喘气时一些碎片我去那里我的日子我的生命第一部分一些碎片

睡着了我看到自己睡着了侧身或者俯卧非此即彼侧身躺着哪一侧右侧这更好口袋垫在脑袋底下或者紧贴着肚子紧贴着肚子膝盖拱起脊背弯曲微小的脑袋抵着膝盖身体蜷曲围绕着贝拉夸口袋一侧失去平衡厌倦于被人遗忘地等待心灵那里活着沉睡的优雅

我不知道什么昆虫趴在它的财产上我双手空空地回来回到我的原地什么首先在求我跟这一起

持续一会儿

什么为了开始我那长长的白天我的生命目前的撰写跟这一起持续一会儿蜷曲着团团围绕我的宝贝偷听我的上帝还喃喃地低语这个

二十年一百年没有一个声音我听着没有一丝微光我眨巴眼睛四百下我唯一的季节我更紧地靠着那口袋一个罐头在这黑暗的沉默中叮当作响最开头的暂缓

里头有什么东西不对头

永不冰冷永不干涸的淤泥它在我的身上不干涸空气中充满了水的或其他液体的温和的蒸汽我嗅了嗅空气没闻出什么来一百年了没有一种气味我嗅了嗅空气

没有东西干涸我抓紧口袋生命的第一个真正迹象它滴水一个罐头叮当作响我的头发永不干没有电不可能让它们蓬松我梳理它们这可以做这是另一个向后的东西这是我的另一个本领现在不再有了第三部分这是另一个不同点

道德一开始在事件令人满意地加速发展之前啊

我那时候拥有的一种平等的心灵正因如此人们给我一个同伴

那总是我的白天第一部分在皮姆之前我的生命目前的撰写一开始完全碎片我回到我自己我原先的地方在黑暗中淤泥中我抓紧口袋它滴水一个罐头叮当作响我准备我出发旅行结束

谈到幸福人们犹豫这小小的词谈到幸福最初的芦笋脓肿破裂但那是好时候没错没错在皮姆之前和皮姆一起在皮姆之后很长的时间无论我说什么一些不那么好的好时候那也是必须期待我马上听到了它喃喃声珍贵的碎片在某些地方收集到这更好某个人听着另一个做记录的人或者是同一个人永远没有一声呻吟一滴眼泪越来越远内心中一粒珍珠没有声音很长的时间自然次序

突然如同所发生的一切只能用手指头尖抓住一点点阿尔卑斯山或洞穴学的形象星期五哈哈大笑者的形象可怕的时刻正是在这里词儿有它们的用处淤泥哑默无言

于是这里有了这一出发前的测验右腿右胳膊又推又拉十米十五米不知不觉朝向皮姆在此之前

一个罐头叮当作响我倒下持续一段时间带着这

几乎有一些好笑的东西确实假如人们想到它感
觉到拧松引诱粘住脸下部的简短动作没有声音
假如人们可以想到的话想到人们将失去的想到
这辉煌的淤泥它停止喘气我听到它低声地有一
些好笑的东西整个星期中假如人们可以想到
的话

气球的摆脱那是留在那里的一点点空气一点点
靠了它人们才能依然站立笑着哭着说着心里想
的没有任何身体上的东西健康没受到威胁我的
一个词我便重新跟随我把嘴巴大张为了不丢失
一秒钟一个拥有某种意义的闷屁通过嘴巴飞走
没有声音在淤泥中

词它来了人们用词说话我还有词必须相信它这
个阶段我的秘密一个就已够了哎嗬意味着妈妈
不可能嘴巴大张他马上就来或在最后一刻来或
在这两者之间来反正有位子哎嗬意味着妈妈或
别的什么另一个声音很低意味着别的什么随便
什么第一个来的人让我恢复到我的队列中

度过的时间对我诉说很长时间的过去时间它停
止喘气一个巨大故事的碎片在这片淤泥中被如

此听见如此喃喃按照自然的次序对我诉说第三部分是我有了我的生命的时候

我的生命在自然次序中多多少少在当前多多少少第一部分在皮姆之前曾是如何那些那么古老的东西旅行最后一站最后一天我回到我自己我的位子抓紧口袋它滴水一个罐头叮当作响种种丢失哑词这是我生命的开端目前的撰写我可以出发追随我的生命这将依然是一个人

一开始什么一开始喝我匍匐在地这持续了好一会儿我这样持续了好一会儿嘴巴大张最后舌头伸出来到淤泥里这持续了好一会儿那是一些好时候也许是最好的时候如何选择脸在淤泥中嘴巴大张淤泥在嘴里口渴渐渐消失人性重获

有时候在这姿势中一个美丽的形象美丽我是说通过运动颜色各种颜色云彩的蓝和白正好在风中那一天在淤泥底下一个美丽的形象我要描绘它它将被描绘然后出发右腿右胳膊又推又拉走向皮姆他不存在

有时候在这姿势中我睡着了舌头缩回嘴巴闭上淤泥张开是我重又睡着了不再喝我睡着或者舌头伸出在外喝了整整一夜整个睡觉期间我的夜

晚就是这样目前的撰写我没有别的睡觉的时间离最后没有多少人的最后动物的最后我醒来我问自己我总是援引跟它持续一会儿这是我的另一个本领

舌头上带着淤泥这也会发生那时只有一种办法让它回去让它转回到嘴巴里淤泥吞下去或者吐出来问题它是不是有营养而前景跟它一起持续一会儿

我嘴里塞得满满的这也会发生这是我的另外一个泉源跟它一起持续一会儿问题假如吞下去的话它能不能滋养我前景展望那是一些好时候

玫瑰色的舌头又伸出在淤泥中在这期间双手做什么必须始终看到试图看到手在做什么它们正试图做什么左手我们看见了始终紧紧地抓着口袋而右手

右手我闭上眼睛没有乌青其他的都在后面终于隐约瞥见了那边在右边在他伸得老长的胳膊上在锁骨的轴心上我怎么听到的就怎么说它张开又闭拢在淤泥中张开又闭拢这是我的另一个本领这能帮助我

她不能走得很远差不多只有一米我觉得她很远有一天她将走掉带着她的四个指头她失去了大拇指里头有什么东西不对头她将离开我我看到她闭上眼睛和其他看到她她把她的四根手指头朝前扔去就像扔出四爪锚那些尖头牢牢地吃住拉紧于是她离去以小小的水平方面的运动我要这样地走掉通过小小的尖头这能帮助我

那些腿脚和眼睛乌青也许是闭上了哦不既然突然是形象最后的形象突然在那里淤泥下我怎么听到的就怎么说我看到我自己

我想我大概十六岁而且天气特别作美真是锦上添花天空是蛋青色的飘有小朵的云彩我转过背去我抓住那姑娘的同时她也抓住了我的手我这屁股

我们是假如我相信色彩的话翠绿的青草便是证明我们是鲜花和季节的老梦在四月或者五月而某些小物件假如我能够相信它们的话一个白色的栅栏一个玫瑰色的老看台我们是在一个跑马场在四月或者五月的一天

高扬起脑袋我们瞧着我想象我们我想象眼睛大张直直地瞧着我们的前方到处都是雕塑般的纹

丝不动除了胳膊它们摇晃着那是些双手叉着的人还有什么

在我的空手或左手中有一个无法说清的物件然而在她的右手中则是一条短短皮带的尽头把皮带连着一条个头不小的灰色狗它歪歪斜斜地坐着垂着脑袋那些手纹丝不动

问题为什么一条皮带在这一片巨大的绿色中渐渐地诞生出一些灰色和白色的斑点来羊羔渐渐地出现在它们母亲的中间在景色的尽头还有什么四英里五英里一团团不太峻峭的青色山岩我们的脑袋超越了它们的山脊线

我们松开了手向后一转身我向右她向左她把皮带挪到她的左手而我在同一时刻把那东西拿在了我的右手中一个白颜色的小小打火机空出来的两只手又混在了一起胳膊晃动着狗没有动我感觉我们在瞧着我我缩回舌头闭上嘴巴微微一笑

正面看去姑娘不那么丑陋并不是她在吸引我浅色的头发理成刷子一般的平顶胖胖的脸通红通红带有青春痘肚子鼓鼓的从巨大的前裆处突出来膝盖外翻彼此远离双腿罗圈得厉害像是纺锤

双脚撇开一百三十度半笑不笑怡然自得在后面的地平线上生命的形象在起来绿色的粗花呢衣服黄色的高帮皮鞋所有这些颜色活像一朵报春花或者很像是衣服上的扣眼

又转过身来转向内侧直到八十度迅速地面对着面作交流手的纠缠胳膊的晃动狗的纹丝不动我有的这个屁股

突然一下子一二一二我们就出发了脸冲前胳膊甩动狗跟在后面低着脑袋尾巴夹在卵蛋上它在同一时刻有着跟马勒伯朗士①同样的想法只是不那么乐观我曾有的字母假如它撒尿它就撒个不停我叫喊没有声音快把它扔在那里快跑血脉偾张

总之黑黑的我们来到了山顶狗歪斜地坐在了灌木丛中朝它又黑又粉红的鸡巴垂下了头没有力气来舔它我们正相反转向内侧面对着面作交流手的纠缠胳膊的晃动品尝着大海和岛屿的沉默脑袋一起转动着像是两人共有一个脑袋那样朝向城市的烟雾沉默中的定位一些动作脑袋来回

---

① 可能指尼古拉·马勒伯朗士（1638—1715），法国哲学家、神学家。

转动仿佛有一根轴连接着

突然我们吃起了三明治你吃一口我吃一口各吃各的同时交换着温柔的词语亲爱的我咬她咽亲爱的她咬我咽我们还没有咕噜咕噜地叫因为嘴里还是满满的

我的爱我咬她咽我的宝贝她咬我咽总之黑黑的我们又开始走我们又离开了穿越田野手拉着手胳膊晃荡着头抬得高高的朝向变得越来越小的山顶我再也看不到狗我再也看不到我们场景被清除

有一些牲畜一些绵羊人们会把它们看作露出地面的花岗岩一匹马但我没有看见一动不动地站着弯着长脖子低着脑袋牲畜都会

天空的蓝白色稍微再一会儿四月的早晨在淤泥下结束了做好了熄灭了我有过了形象舞台现在空了一些牲畜然后熄灯再没有蓝色我留在那里

那里右边在淤泥中手张开又闭拢这帮助了我让她走好了再也没有必要了很久以来就再也没有必要了

设备重新出来到淤泥中我留在那里不再口渴舌头缩回嘴巴闭上它现在应该走一条直线结束了做好了我有过了形象

这应该持续了好一段时间我持续了一段时间那应该是一些好时候很快就将是皮姆我无法知道字词无法过来很快就结束孤独很快消失那些字词

我刚刚有了伙伴因为这让我开心我怎么听到的就怎么说跟一个小小的女朋友在一起在四月或五月的天空下我们消失我还留在那里

那里在右边手在拉嘴巴闭得紧紧的眼睛眨巴着贴在淤泥中我们也许还将回来那将是褐发女子童年的土地渐渐地发亮长条的龙涎香渐渐地死在一种暗淡的灰色中一定有火经过了那里当我重又看到了我们我们已经很近了

那是褐发女子我们疲倦地回来我只看到赤裸的部分孤独的脸迎向东方游动的光明纠缠在一起的手厌倦而缓慢我们朝我追溯而来并且消失

那些胳膊从中间穿越了我还有身体影子的一部分穿过一个影子舞台空了在淤泥下最后的天空

熄灭了灰烬加深颜色再没有别的世界给我而只有我的世界十分漂亮只不过不是那样它不是那样发生的

我等待我们也许会回来而我们不回来只是去历险晚上对我们喃喃着早晨曾为我歌唱的东西而这一天这个早晨而不是晚上

找到别的东西以便继续持续问题它涉及的是谁哪些生命大地上的哪一点这个家族从哪里来到我这里这电影院这一种类几乎没有吃一块

这想必持续了一会儿应该有更糟糕的破灭的希望不是那么坏白天已经过了一大半吃一块那将持续一会儿那将是一些好时候

随后有需要我的痛苦所有之中的哪一种深深的根本就达不到这样更好我的痛苦的问题答案跟它一起持续一会儿随后出发不是因为肮脏而是别的人们不知道人们不说旅行的结尾

右腿右胳膊又推又拉十米十五米到达新的位子重新改编在睡眠中祈祷问题有需要涉及的是谁哪些生命大地上的哪一点

那将是一些好时候然后不那么好些那也一样必须预想到那将是晚上目前的撰写我将能够睡着觉而假如万一我醒来的话

假如万一哑笑我醒来火急火燎灾难皮姆第一部分结束只剩第二部分然后第三部分只剩第三和最后部分

它停止喘气我侧身待着哪一侧右侧这更好我张开口袋地边沿问题什么东西我的上帝我能够渴望什么东西饥饿我最后的一顿饭是什么样的这个家族时间过去我则留下

这是口袋的那场戏两只手撑开它的边沿人们还能够渴望什么东西左手伸进口袋中这是口袋的那场戏然后是胳膊一直伸到腋窝处再后来

它游荡在罐头中间却没有参与进来数它们据说有一打左右抓住了谁知道的最后一些虾那些细节为的是好有什么东西

它拿出小小的椭圆形罐头把它转到另一只手里转身去寻找开罐头刀最终找到了把它拿到光亮处开罐头刀人们谈到开罐头刀带骨头柄的雕刻成纺锤样摸上去说它休息

双手在做什么双手在休息中很难看见在很肥的大拇指和食指之间第二节指骨的顶头和外表里头有什么东西不对头夹住口袋剩下的那些指头和手掌紧贴着那些东西罐头开罐头刀那些更好的细节

一个错休息人们谈到休息一个错多少次突然在这阶段我怎么听到的就怎么说在这一位子上双手突然空了夹住口袋总是这样总是至于其他突然空了

疯狂地在淤泥中寻找开罐头刀它是我的生命但是我还能把什么说得那么崇高总是说到什么我的小小宝贝总是迷路一段很长的时间

休息那么我的错是我的生命膝盖抬起腰背弯曲脑袋耷拉在口袋上抱在双手中我的口袋那是我的我的身体那是我的所有这些部分每一个部分

我嘛说我嘛为了说些什么为了说我听到的当它停止喘气时在这个锅炉中我最终看到了肚脐气息在那里我不会让一只五月的苍蝇的翅膀振动我觉得嘴巴张开了

在满是污泥的小肚子上我看见了一线日光好日子和平赫拉克利特黑暗在天的最高顶在一动不动地伸展开的黑色的巨大翅膀之间看到悬挂着一团雪我不知道什么鸟信天翁南方大海的叫喊者我拥有的故事我的上帝自然的我所有的好时候

但是旅行的最后一天是一个好日子没有失算没有额外如何出发去休息就如何回来双手还是老样子我什么都不会丢失不会再看到任何什么

口袋我的生命我从来没有松开过这里我松开它需要两只手如同当我旅行时它就挂在脑袋上以那些拥抱空的黑的妙不可言然后突然如同一把燃烧的碎木屑好戏可看

需要旅行我什么时候说相当的弱再晚些再晚些一道微弱的日光就像我一个属于我的嗓音

于是用两只手如同当我在旅行时或者我抱住脑袋在我高高地抱住它在光芒中于是我松开口袋但只一分钟它是我的生命于是我躺在它的上面这总是连接着

棱纹斜斜地摩擦着我黄麻布最后那些罐头的棱

边杂乱的棱边腐烂的黄麻布上边的棱纹右侧比那还高一点人们拉着它们的地方那一天抓住了我的生命这一生命它将不脱离我还没有

如果说到我诞生的时候我那时不是左撇子右手把罐头递到左手而左手在同一时刻把工具递到右手漂亮的动作手指头和手掌的小小旋转小小的奇迹全靠它那么多奇迹之中的小小奇迹全靠它们我还活着依然活着

只要再吃十个十二个插曲打开罐头放好工具把罐头慢慢地举到鼻子前打开的罐头无可指摘的遥远的新鲜味桂冠那幸福的香味不管梦想不梦想吃完不吃完罐头扔掉不扔掉它这一切人们都不说我看不到没有太大的意义擦擦嘴巴总是这样如此重新而到最后

把口袋抱在怀中把那么轻的它总带在我身上枕着它睡觉这就是口袋的重大场景它做成了我把它带在身后白天过去了一大半最后闭上眼睛等待着我的痛苦带着它我可以再持续一会儿在等待中

睡眠中无目的地祈祷我还没有权利我还不配如此为祈祷而祈祷当什么都缺少时当我想到灵魂

想到折磨想到真正的折磨想到没有权利睡眠的真正灵魂人们说到睡眠我有一次为它们而祈祷根据一个古老的观点它变黄了

始终还是我到处显现在光明中无法确定的年龄从背后看去跪着屁股翘着在一堆垃圾的上面穿着一个漏了底的口袋脑袋正好从那里穿过在牙齿中横向地咬着一杆巨大的羽毛画笔我从里面读到

因你的温和时不时地他们睡着觉那些要紧的囚徒这里一些难以辨认的词在折缝中然后也许做一个好梦他们的恶习是他们的价值在这段时间中恶魔休息了十秒钟十五秒钟

睡眠本身脸下部很简短的动作没有声音唯一的财产你快前来熄灭这两盆再没有什么可看的古老的炭火这个被火毁了的古老锅炉在整整的一种衣衫褴褛中

整整的一种衣衫褴褛从头到尾从头发到脚上和手上的指甲在每一个部分中它没多少感觉还保留着而梦

梦你来自一片天一片地一片地下在那里我是无

法孕育的哎哟没有声音一根火红的尖桩插在肛门中那一天我们没有更早地祈祷

多少次下跪多少次弯腰下跪背要弯成各种角度膝盖要跪成各种情景背要弯得和谐假如那不是我的话那就是同一个微不足道的安慰

一个屁股比普通的大一倍另一个比普通的小一半除非那是视觉的一种效果这里当人们拉屎时就用淤泥来擦屁股已经有好几百年我没有碰它了也就是四比一的比例我始终很喜欢算术它让我把它给归还了

在皮姆那里它们尽管很小却都一模一样他倒是需要第三个我无动于衷地插进一个开罐头刀里头有什么东西不对头但是首先还是把我的旅行生活给结束了第一部分在皮姆之前曾是如何只剩第二部分然后第三部分只剩第三和最后部分

在我跟我的同类和兄弟们一起刮着墙壁的那时候我就听见它了喃喃声那时在高处在光芒中对于身体上的每一次疼痛精神都让我冷漠无情我叫喊着救命一百次中有一次带着某种幸福

如同当例外地喝下饮料在清洁工扫地的时候我

固执地想走出电梯我把腿伸在走道和梯厢之间而两个小时之后手里握着表人们争先恐后白白地叫他而没有叫来

老梦我不步行或者我步行这不一定人们就不说什么了日子这取决于日子再见了老鼠海难已发生稍稍少一点这就是人们所恳求的一切

稍稍少一点无论是什么无论怎样无论什么时候稍稍少一点时间是还有不是过去现在将来而有条件地我们来吧我们来吧随后和结尾第一部分在皮姆之前

正好点火如何克服反思痛苦的激情不可抵挡的出发相关的准备路线毫无阻碍突然平安到达最后的火熄灭好了难道是一场梦

一场梦很少机会口袋之死皮姆的屁股第一部分的结尾只剩第二部分然后第三部分只剩第三和最后部分塔利亚[①]出于怜悯你的常青藤的一片叶子

[①] 塔利亚为希腊神话中的一个人物,一说是美惠三女神之一,意为花朵,一说是缪斯九女神之一,主管喜剧。

快点脑袋进了口袋那里面对不起要说话我有了所有时间中的所有痛苦我担忧得仿佛倒了大霉在每个小单间里都是疯狂的笑声罐头发出一种响板似的声音淤泥在我不断动弹的身体底下咕噜咕噜响我一边放屁一边同时撒尿

旅行的最后的好日子一切发生得再好也不过了玩笑变软太老惊跳渐渐平静我回到自由自在的空气中严肃的事情上来我只要把小手指头抬起一下就能飞翔在亚伯拉罕的乳房中我会对他说让他把它放在什么地方

然而在等待更好的同时还是有些反思关于舒适安逸的脆弱在动物界各个不同的种类中从海绵开始这时候赶快我再也不能多待一分钟了这个插图就这样跳走了

排泄哦不它们就是我但是我爱它们没有清空的老罐头软软地松开也不是别的什么东西淤泥吞没一切我单独一人它带走了我的二十公斤三十公斤它在底下让了一点点步之后就不再让步了我不逃跑我流亡

永远留在同一个地方从来没有别的欲望对我小小的毫无生气的分量在这温和的烂泥中挖我的

巢穴不再动弹这个重新返回的老梦我及时地看到了它它在那里并且还将长久地在那里开始知道它如今的价值和它以前的价值

一大口黑乎乎的空气终于跟我的旅行生活告个别在皮姆之前第一部分曾是如何在另一个之前纹丝不动和皮姆一起在皮姆之后曾是如何是如何一些很长的时间我什么都不再看见听到它的声音然后那另一个从很远而来从天顶和地下的三十二层然后在我心中当它停止喘气时一些碎片我喃喃说起它们

以这一番动荡引起那里不再多有一秒钟我是那么地无力连小手指头都抬不起来哪怕就这样动一动我就能使我底下的淤泥展开然后再合拢

问题很老的问题这一番震撼是有还是没有每一天是不是每一天都得听到有人喃喃说到这个词这一番震撼是不是每一天它都把我给掀起并扔在我的烂泥之外

最终它结尾的日子也快临近了尽管它还没有从一千个日子中显现出来很好的很老的可怕的问题对于脑袋总是能够提出来的关于一切也关于空无这真是一种伟大的美

有了皮姆的秒表里头有什么东西不对头没什么可用秒表计时的我不再吃了我也不再喝了不再吃不再动不再睡着不再看到任何东西不再做任何事情这也许会来临所有这一切一部分我听人说是的然后又说不

嗓音秒表计嗓音它不是我的沉默秒表计沉默这能帮助我我看到做了某些事情某些事情仁慈的上帝

诅咒上帝没有声音在心里记录时刻等待中午子夜诅咒上帝或者祝福他并等待着手里握着表但是那些日子依然是这个词没有记忆怎么办呢揪下口袋的一丝布打个结或者编根绳没有力气

但是首先跟我的旅行生活告个别第一部分在皮姆之前在淤泥中无名的动弹是我呀我怎么听到的就怎么说是我在口袋中掏着从里头拿出细细的绳子口袋边很糙我把绳子套在脖子上转身匍匐做着我的告别没有声音然后冲了出去

十米十五米半左侧身右脚和右手又推又拉肚皮贴地悄悄地射精半右侧身左脚和左手又推又拉肚皮贴地悄悄地射精在这一描绘中没有一丁点

儿要改变

这里含混的计算仿佛我不可能偏离方向再多几秒钟一天一夜无法想象的出发给我刻印下偶然和必然每一种都有一点这是这曾是三个中的一个西边这感觉得出来从西边到东边

由此在淤泥中黑暗中肚皮贴地走直线稍稍多一点稍稍少一点二百三百公里也就是说在八千年之后假如我不停下来的话绕地球整整一圈也就是说相当于

人们不说我可能在哪里接受我的教育获得了我的算术天文学甚至物理学的概念它们造就了我这是基础

全都在那些地平线上我不觉得我的疲劳它还是表达出来从身体的一侧到另一侧过渡得更为频繁匍匐在地延续着中间夹杂着多种多样的沉思冥想

突然的几乎就是确实的事再多一厘米我就落到一个沟壑中或者摔在一段城墙上尽管什么都没有我付出了代价明白到这一点从这一侧有所希望它把我从我的梦中拉出来我服了

那上边的人们哀叹不能活着离奇的在一个如此
的时刻一个如此的气泡在脑袋中现在全都死了
而另一些现在这对他们不是一种生活随后的事
离奇得不好知道我们理解他们

全都理解永远除了比方说历史地理全都理解而
什么都不知道决不原谅什么都不赞同真的甚至
连对动物的残忍什么都不爱

一个如此的气泡于是它破灭白天对于我再不能
算是什么要紧的东西

不应该太软弱这同意人们是不是想更为软弱哦
不必须尽可能地软弱然后再更为软弱我怎么听
到的就怎么说每个词永远

我的白天我的白天我的生命就这样总是那些老
词在回来再没有什么要紧的东西只是我重新适
应环境然后持续一直到睡眠不是睡得疯疯癫癫
或者这没有必要

疯子或者更糟糕变成海克尔①诞生于波茨坦那里也是克洛卜施托克②等人生活过的地方而且尽管埋葬在了阿尔多那③他投射下的影子依然工作着

傍晚面对着夕阳或者背对着它我已经记不得了人们不说是它投射在东边故乡的巨大影子我曾有过的人类我的上帝对这个稍稍来一点地理学

不再有什么要紧的东西但是在尾巴中有毒液我丢了我的拉丁文应该提高警惕于是一个好时候振响在了肚子上然后突然我开始倾听连我都不能相信

倾听就仿佛头一天傍晚从新地岛④出发我曾拥有的地理学我刚刚返回我自己在一个亚热带的小县城中就像我曾是的那样就像我曾变成的那样或者一直就是的那样非此即彼

---

① 恩斯特·海克尔（1834—1919），德国生物学家，进化论者，对动物学特别有研究。他诞生在波茨坦。
② 弗里德里希·高特里布·克洛卜施托克（1724—1803），德国诗人、剧作家。
③ 阿尔多那是德国的一个古城，后合并归了汉堡。克洛卜施托克就埋葬在了那里。
④ 新地岛是俄罗斯北部的群岛，在喀拉海和巴伦支海之间。

问题是不是总是好的老问题是不是这样的自从世界世界对于我我母亲的喃喃在令人难以置信的嘈杂中拉屎

就这样不能走一步路尤其在夜里而不纹丝不动地单腿待着闭上眼睛屏住气息窥视着追踪者和救援

我闭上眼睛总是同一双眼睛看到我昂扬着脑袋脖子发疼双手蜷缩在淤泥中里头有什么东西不对头屏住任何的喘气这持续着我就这样持续了好一会儿直到脸的下部微微颤抖起来这迹象我对自己说我来到了对我自己说什么东西

在那些时刻人们到底能够对自己说什么一颗小小的苏拉斯珍珠很遗憾更好活该这一类缺少一开始很冷可惜啊这一类缺少很热欢乐与痛苦这两者这两者的总和再除以二结果温和得就如同在前庭中

说早了一旦找到说早了嘴唇以及周围的整整一片肌肤凝固双手张开脑袋垂下我钻得稍稍更进些然后又更进些始终都是同一个王国早先和始终我从来就没有从中出来过它没有边界

上帝才知道我是不是经常感到幸福但是从来没有比从来没有比那一刻更强烈幸福不幸我知道我知道但是人们可以谈论它

在那上边假如我在那上边星星已经在那里钟声简短敲响现在只剩下一点点要忍受我就始终这样待下去了但是那样不行

解开绳子口袋那一边脖子那一边我这样做了必须这样做人们就是这样解决的我的手指头这样做了我感觉到它们

在淤泥中黑暗中脸在淤泥中双手不管如何里头有什么东西不对头绳子在手里整个身体不管如何很快就如同在那里在这唯一的位子上我曾生活过是的始终生活着

上帝在某个地方有时正好在这时候但是我碰上的是某一天我会好好地吃上一块但是我将不吃了嘴巴张开舌头不伸出来嘴巴很快地闭拢

口袋是在左边伴随着我我右侧身地待在地上把它轻轻地抱在我的怀里膝盖抬起脊背弯曲脑袋放在了口袋上我们想必早已经在什么地方做过

这样的动作了它们可能就是最后的动作

现在是还是不是口袋的一道皱褶在嘴唇中间这不会发生在嘴巴中在嘴唇之间在前庭里

尽管人们给了我这条生命我却一直是个厚嘴唇两片厚厚的嘴唇生来就是为了亲吻用的我想象它们是一种大红的颜色我想象它们还在稍稍朝前努着张开然后又闭拢在口袋的一道皱褶上这有些像是马

是还是不是人们不说我看不到别的可能性在睡眠中重做我的祈祷等待着他下来在我的身子底下最终展开在平静的水中比任何时候都更危险既然招摇到了头之后这就总是连接在一起

依然找到了字词当它们全都耗费时依然是脸下部的简短动作必须要一些好眼睛做明证是不是有一个好眼睛的证人一盏好灯他会拥有它们的那好眼睛和好灯

对坐在一边的文书他宣布说子夜哦不深夜两点三点道碴工的钟点脸下部的简短动作没有声音是我的字词造就了它是它造就了我的字词我还会熟睡在人性中完全正确

泥灰于是石灰石和花岗岩混合堆砌为了造一道墙更远处是一道开满鲜花的绿篱的脊线有绿色有白色女贞树混合的脊线

泥灰层中有一双小小的脚但对它们主人的年纪来说又算很大了赤裸地在泥灰中

书包在屁股底下背靠着墙抬起眼睛望着蓝天大汗淋漓地醒来天空中有白色有一片片的云彩点缀在蓝色中透过火热的石头透过蓝白横条子的运动衣

抬起眼睛在天空中寻找着那些脸那些动物熟睡了在那里一个漂亮的年轻人长着金色的小胡子穿着一件白长衣大汗淋漓地醒来他在梦中见到了耶稣

这一类一个并非给眼睛看的形象由字词构成并非给耳朵听的白天结束了我平安无事直到明天淤泥张开我走掉直到明天脑袋枕在口袋上胳膊紧紧地抱住它不管如何

黑暗短黑暗长如何知道我这里又上路了还缺少某个东西比两三米还更多两三米之外就是悬崖

最后的碎片这结束了第一部分结束只剩第二部分然后第三部分只剩第三和最后部分这里还缺少某个东西人们已经知道或者将永远不会知道的东西非此即彼

我来到并倒下像是一条鼻涕虫倒下把口袋抱在怀里它的分量轻得几乎什么都没有什么都没有我把脑袋枕在那上面我印上一个数字我不违背我的心意说话

没有激情一切都丢失底破了潮湿拖曳磨损搂抱年代一个装煤炭的旧口袋五十公斤装连接好后就全都一起出发罐头加开罐头刀有一把开罐头刀而没有罐头这我免了有罐头而没有开罐头刀我本不会有这个这一次在我的生命中

还有那么多的其他东西那么地被想象但从来没有被命名从来不能被命名没有用处并非必然摸起来很漂亮人们曾给我的所有一切目前的撰写一切都那么地远除了绳子一个破口袋一根绳子旧口袋我怎么听到的就怎么说淤泥中的喃喃声旧口袋旧绳子你们我保留着你们

小小的系列为了继续持续拆开绳子抽出两根线一根捆住口袋的底装上淤泥再捆住上部这就做

成了一个很好的枕头抱在怀里也很舒服脸下部的简短动作它们是不是能够成为最后的动作

什么时候是最后的晚餐最后的旅行我做了什么我在哪里度过这一类喑哑的号叫抛弃希望的微光出发混乱绳子绕在脖子上口袋咬在嘴里一条狗

这里抛弃希望的效果它连接永恒的直线美好欲望的效果希望不要预先死去在淤泥中黑暗中更不用谈别的理由了

唯一要做的事半途返回严格地绕圆圈而我则走之字形地前进这是真的按照着我的体质目前的撰写在我从来没有去过的地方寻找着我所丢失的

亲爱的数字当一切都缺乏时一些数字就可以结束第一部分在皮姆之前美丽的年代美好的时刻同类的丢失我很年轻我挂靠在同类上人们谈到人类对我说简短的动作没有声音二加二二乘二以及其他

于是突然向左一闪这更好四十五度两米直线完

全是由于习惯的力量然后向右转个直角然后笔直①走四米亲爱的数字然后向左转个直角再径直向前走四米然后向右转个直角够了依此类推直到皮姆

由此在被抛弃的直线的好几处希望的效果一系列的锯齿或者喇叭口的方材宽两米长三米稍稍小一点在步行的老轴心上因此一时间里我在两个顶点之间又找到了一米半稍稍少一点亲爱的数字美丽的年代它由此结束第一部分在皮姆之前我的旅行者生命一段很长的时间我曾年轻所有这一切由此美丽的年代方材顶点每个词始终如我在心中听到的那样它在外面嘎嘎到处都是淤泥中的喃喃声当它停止喘气时特别低碎片

半左侧身右脚右手又推又拉肚皮贴地诅咒上帝祝福他恳求他没有声音脚和手在淤泥中乱翻我希望找到什么一个罐头丢在了我从来没有去过的地方一个没怎么吃空的罐头扔在我的前面这就是我所希望的一切

我从来没有去过的地方但别的人也许去过很久

---

① 这里有文字游戏："向右"、"直角"和"笔直"中都有"droit"这个词,中文无法表现。

前不久前两者都是一个过程尴尬中何等的安慰其他人何等的安慰

那些在前面拖曳着的人那些在后面拖曳着的人已发生过的将会发生在你们身上发生的没有尽头的队列破口袋利用所有人

或者一个天堂般的罐头神奇的沙丁鱼听说了我的不幸消息后被上帝打发来的有东西可吐了再多八天

半右侧身左脚左手又推又拉肚皮贴地悄悄地咒骂在淤泥中乱翻每半米来一下每个方材分八次也就是一共走上三米稍微不那么有用贪婪的手如钩子一样深入没碰到熟悉的烂泥而是碰到一个屁股两声叫喊其中一声哑巴了第一部分结束这就是在皮姆之前曾是如何

2

这里终于开始了第二部分我还要说曾是如何都如同我内心听见的样子它在外面嘎嘎到处都是碎片在皮姆之前曾是如何一段很长的时间很低在淤泥中在淤泥里当它停止喘气时曾是如何我的生命人们说到我的生命在黑暗中淤泥中和皮姆一起第二部分只剩第三和最后部分正是在那里我有我的生命的地方我曾有过它和我将要有它的地方很长的时间第三和最后部分在黑暗淤泥中很低碎片

以它自身的方式很幸福的阶段第二部分人们说到第二部分和皮姆一起曾是如何一些好时候对我来说很好人们说到我对他来说也很好人们也说到他以它自身的方式来说也很幸福将来我会知道的我将知道他的幸福是以什么方式我将有它我还不是曾经都有过

于是微弱的叫喊尖厉预感到这半阉割的喃喃声我将要忍受在更多的数字期间这又是一个跟以前的小小区别从此不再有一点点数字所有的衡量全都模模糊糊的是的模模糊糊的长度感觉空间的长度时间的长度两者之间的简单性的模模糊糊的感觉由此再也没有计算或者说没有严格意义上的代数次序是的我听人说了对的然后有人说了不对

迅捷地如同一块冰或者激情荡漾我的手缩了回来悬在半空中好一会儿很模糊然后慢慢地再落下坚决地甚至是轻盈地恢复了自信筋疲力尽地停留在神奇的肌肤上垂直于缝隙可爱的大拇指大鱼际肌和次鱼际肌在左侧屁股上四根手指头在另一侧上右手我们还没有头对脚脚对头

筋疲力尽我愿意那样但稍稍有些鼓起然而出于自发的羞耻心这是可能的它不会是假装的并如此地落在稍稍有些像驴背那样中间隆起的缝隙上跟右侧屁股的接触由这里开始小靠垫比指甲还少第二声害怕的叫喊确实但是我以为发现了一管迷失在乐队当中的小小的快乐之竖笛从我这方面早已有些自命不凡了这是可能的

这是一段过去这一部分也许愿意在过去中行走

第二部分和皮姆一起曾是如何跟以往相比也许还有一个小小的区别但是很快关于我手指甲的一个词它们将有自己的角色要扮演

要担忧的是在这一部分中我会熄灭当然人们不说熄灭这还不在我的构造中人们说熬着然后再重现皮姆消失比我们相遇之前更为活生生更为怎么说呢更为活生生没有更好的了这一个人们只看见他只听见他要说永远那也许是过分了是的对于我现在是要担忧的有用性

对于没有我的我他绝不会是皮姆人们说到皮姆永远只是一个毫无生气的哑巴骨架永远躺在淤泥中没有我但是我如何去让他复活你们瞧着吧看看我是不是会把我自己抹除在我的造物后面什么时候这会发生在我身上现在我的手指头

很快一种假设假如这所谓的淤泥实际上只是我们所有人的粪便呢完全就是所有人的假如那时候人们不是有亿万之多为什么不呢既然人们现在是两个那么当时就会是亿万要爬行要拉屎在他们的粪便中像抓住什么宝贝似的抓在怀中现在还爬行拉屎我的手指甲

我的手指甲哦这个为了只是说到手而不说到这

位东方智者我让它们处在一个很糟糕的状态这位遥远东方的智者他握紧了拳头从十分模糊的幼小年纪一直到他的死亡时刻人们不说在什么年纪做的这个

那么他的死亡时刻人们不说在什么年纪可以终于看到它们稍稍更早一点他的指甲他的死亡手掌穿透一部分接着一部分可以终于看到它们他们最终从另一端出来不久后由于这样地活过做过这个做过那个握紧拳头整个一生这样地活过死过最终对自己说最后的喘息它们将继续生长

幕布拉开第一部分我看到朋友们前来看他蹲在一座坟墓深深的阴影中握紧拳头在膝盖上他这样活着

它们折断了缺少石灰或者类似物但是没有全部以至于有一些我的指甲人们说到的是我的指甲有一些始终很长另一些很合适我看到他想入非非淤泥张开明亮起来我看到他想入非非在一个朋友的帮助下或者没有这份幸福独自一人遐想把它们带回来到背后让它们从反方向重新穿越死亡妨碍了他

在皮姆的右屁股上第一次的接触他应该能听到

它们嘎吱嘎吱地响多么美丽的往昔啊我本来可以钻进它们假如我愿意的话我真的有这样的欲望拉动挖掘深深的垄沟饮下号叫乌青强烈的阴影脑袋缠着绷带弯在拳头上一大批缠着白色多蒂腰布①的朋友并非一直走到这一步

叫喊声对我说这脑袋在走了何等的极端但是我也可能弄错了所做的连接在一起而不扯下手移动到右边这就很快地分岔了这正是我所想的然后再向左为了让它毫无疑问地再从屁股上经过哦毫不停顿地落下在一个凹陷处又上升可爱的大拇指在脊线上一直到浮动的边岸我被固定住了依照我的解剖学再坚持都无用他始终在叫嚷我被固定住了我重复说着在过去这同样也行不通我将永远不会有什么过去从来不曾有过

这很好这多多少少是一个相似者但是男人女人女孩子男孩子那些叫喊声某些叫喊声既没有性别也没有年龄我试图让他转过身来仰卧着而不是右侧卧着当然更不是左侧卧着我的力气用完了好的好的我将永远只认识肚皮贴地俯卧的皮姆

---

① 多蒂腰布,是印度男子穿着的传统长缠腰布。

所有这一切我怎么听到的就怎么说每个词始终而由于在淤泥中在双腿之间乱翻我终于拉出了在我看来就是一个睾丸或两个睾丸的东西依照我的解剖学

如同我听见的那样淤泥中的喃喃声假如我敢于的话我稍稍往前爬爬以便摸摸脑袋瓜它是光秃秃的不好还是取消吧摸摸脸这更好一大把毛摸起来全是白的我被固定住了这是一个小老头我们是两个小老头里头有什么东西不对头

在黑暗淤泥中我的脑袋靠着他的脑袋我的侧身贴着他的侧身我的右胳膊围绕着他的双肩他不再叫喊我们就这样待着好一会儿那是一些好时候

多少时间如此过去没有动作没有声音即便是巨大的呼吸一段很长的时间在我的胳膊底下有时候它慢慢地举起来最终离开再慢慢地重新放下一记更沉重的喘息另外又一声可说是叹息

就这样我们共同的生活我们就这样开始了它我不说这不是说的事情如同其他的结束时几乎纠缠在一起我没有看见过看起来不是那一些但是即便是动物也都彼此观察这我看见过看起来他

们正在彼此观察请弄明白是谁将愿意我倒不坚持

几乎纠缠在一起这有些说过了如同经常的那样他不能推开我这就如同我的口袋当我还曾有它的时候这个命中注定的肌肤我将永远都不放开它假如你们愿意的话请把这叫作恒常

当我还曾有它的时候但是我依然还有它它就在我的嘴里不它已经不在那里了我不再有它了我有道理我曾有道理

一段很长的时间对于我们的开端在数字的时代一个响亮的时刻我们的开端在我们的共同生活中问题是要知道是什么给这一段长期的和平画上了句号并且让我们有了更广泛的知识这是何等的意外

一段小小的乐曲突然他唱起了一段小小的乐曲突然如同所有过去不曾有过而现在有了的东西我听了他好一会儿那是一些好时候那只能是他但是也许我弄错了

我的胳膊弯曲起来右胳膊这样更好这样便让一条肱骨到另一条肱骨之间的角从很钝的钝角变

成了很锐的锐角解剖学几何学而我的右手寻找他的嘴唇让我们尝试着至少从更近的地方看到这漂亮的动作它的结论

在淤泥底下挪过手去举起来大约让食指碰到嘴巴这很模糊对得很准大拇指碰到脸颊的什么地方里头有什么东西不对头脸蛋腮帮所有这些都动了嘴唇颊肌和毛这很好我所想到的那是他他始终在唱我被固定了

我听不太清楚歌词淤泥把它们给塞住了或者那是用一种外语唱的他也许在用原文唱着一首利德歌①这可能就是一个外国人

一个东方人我的梦他放弃了我也将放弃我将不会有什么欲望

他知道怎么说话这是基本的他有不怎么真正思考问题的习惯我应该猜想到他曾经不是那样的从个人来说不是那样的也许从某种更为普遍的方式来说而不是以一种唯一的方式处在我曾所在之地我自己的方式人们是会唱的我本来不相信这是真的

---

① 这是一种德国的爱情歌曲。

辉煌的一刻无论如何什么样的前景谁关闭了我们共同生活的第一阶段并微微开启了第二阶段也是我的最后阶段更加富于变化和曲折也许那是我生命中最美丽的一刻很难选择

一个人类的嗓音在那里只有几厘米远我的梦也许还可以说是一种人类的思想我是不是应该学习意大利语显然那就不那么滑稽了

但是首先来一些思索很分散的一段很长的时间也许一共有三十来个这里是其中的两三个人们会走着瞧的

由于他被引导着他应该沿着跟我同一条路走然后再碰到另一条

一天我们将继续一起行路我看到我们了幕布拉开了一会儿里头有什么东西不对头我隐约看见我们所有这一切在小小的乐曲之前哦远远在此之前我们互相帮助着前进达到和谐一致在我们的怀抱中等待着再次出发的时刻

做那个存在着的至少已经存在过的我知道我知道活该人们可以交谈这让人好受时不时地那是

一些好时候何等的重要性这不会给任何人带来不好没有任何人

现在最终在我们背后已经是我们共同生命的第一阶段只剩第二部分的第二个和最后的结尾只剩第三和最后部分

训练的问题逐步地和同时地解决和实施与之平行的是道德层面开端跃进严格意义上的报告但是首先是一些详细的情况两个或三个

向右移动我的右脚只碰到熟悉的淤泥这使得在腿弯得最大的同时它就抬了起来我的脚人们这时候说的是我的脚从上到下地漫步人们看到皮姆那僵硬笔直的腿脚上的动作这正是我所想到的

我的脑袋同样的动作它碰到了他的脑袋这正是我所想到的但是我也可能弄错了它后退了向右一冲意料中的撞击发生了我被固定住我是最高的

我继续摆我的姿势更紧地靠着他他在我的脚踝边停了下来离我只有两三厘米我把他算在了老古董之列

现在他的胳膊交叉成了圣安德烈十字上面的枝权闭合的角我的左手顺着它的左侧跟着它钻进了口袋他的口袋他拿着他的口袋在里头边沿附近换了我我会害怕我的手在他的手上迟疑着他的静脉像是一些细绳他的手缩了回去回到了左侧原来的地方在淤泥中眼下在这口袋上什么都没有了

在继皮姆的乐曲而来的一片更为深沉的沉默中一段很长的时间一声遥远的嘀嗒嘀嗒我静听了好一会儿那是一些好时候

我的右手沿着他的右胳膊移动着艰难地到达了其伸展的界限过了这一点手指头摸到了一块表摸起来是手表这正是我在心里对自己说的它将有它的角色要扮演我听人说了对的然后有人说了不对

还要更好一块普通的大怀表配有一根沉重的链子他把它紧紧地握在手中我的食指在弯曲的手指头中打开了一条通道并说一块普通的大怀表配有一根沉重的链子

我把那条胳膊拉向我拉到背后它被一下子撑死

在那里嘀嗒嘀嗒声越发清晰我啜饮了它好一会儿

还是一些动作重新把胳膊放回原位然后又把它拉向我朝另一个方向从左上方直到它被撑住不能动弹人们看到动作抓住我左手的手腕一边拉一边在另一条胳膊的肘弯处施加压力从那里从后面所有这一切非我力所能及

根本就不必把脑袋从淤泥中抬起没有这样的问题我终于把表放在了我的耳朵上手上拳头上这更好我啜饮那几秒钟长久的时刻美好而富有前景

终于松开了胳膊稍稍向后一退然后又一动不动了依然应该是我让他重新回到了原位那里右边淤泥中皮姆就是这样的他还将是这样的人们赋予他的行为他就把它们保留着但是这在整体中只是很小的一部分一块岩石

从它到我到现在第三部分从那里到右边在淤泥中到被抛弃的我遥远的嘀嗒嘀嗒我从中没有提取任何好处丝毫丝毫的乐趣都没有不要再数那些一去而不复返的秒钟不要去衡量任何持续的时间和频率不要再把我的脉搏九十九十五

它陪伴着我那是它的嘀嗒嘀嗒砸碎它把它扔得远远的那不行让它停下来那不行什么地方出了故障它停了我挥动了胳膊它又走了起来关于这块表再没有什么了

不会比我更多的假如可以相信它的话或者相信我的想法的话他早先没有名字就是我给他起了一个名字叫他皮姆这样叫更为方便更为自在这又重新走向了过去

它应该是合了他的心意我理解到最后终于合了他的心意他独自一人就把它给了他自己很早之前皮姆这样皮姆那样我就是皮姆我总是说当有人叫作皮姆时他就永远不应该做任何他永远不应该做的事总是说当有人叫作皮姆时最好还是从这一点出发更加活跃更加饶舌

习惯就此养成我通知他说我也是皮姆我也叫作皮姆在这方面他感到更为别扭有一阵子还很生气我理解这是一个漂亮的名字这件事就平静下来

我也是这给我一个好处我感觉一个好处尤其是在一开始很难说得清楚不那么无名了从某种程

度上来说不那么阴暗了

我也是我感觉到它渐渐地把我松开很快就不会有任何人从来就没有过任何人叫皮姆这个漂亮名字我听人说了对的然后有人说了不对

我等待的那个人我怎么听到的就怎么说并不相信他给了我另一个名字那将是我的第一个波姆他叫我波姆为的是叫起来更为方便这很合我的心意以姆字结尾一个音节其余都一样

BOM 这个词刻在指甲上在整个屁股上元音正好在屁眼上我会说在我生命的一个场景中它会迫使我曾经经历一种生活那些叫波姆的人先生您不太了解那些叫波姆的人先生人们可以作践一个波姆先生人们不能污蔑一个波姆先生那些叫波姆的先生

但是首先跟这第二部分告别和皮姆在一起的共同生活曾是如何除了跟第三和最后部分之外就没有什么可以告别的了我听说除了别的有一些很奇怪的东西来到十米十五米那个对我来说就像我对他来说一样的人就像我对皮姆皮姆对我那样

除了别的有一些很稀奇的东西其中包括语言的
运用它将回到我身上这没错它已回到了我身上
就这里我倾听我说脸下部的简短动作淤泥中有
声音脸埋在淤泥中很低各种各样的一个叫皮姆
的人一种我可能有过的生活在他之前和他一起
在他之后一种我会有过的生活

训练最初时代或英雄时刻在文字之前细腻很难
说得清楚只是一些大线条好的停止这个家族非
我力所能及我游泳他游泳但是渐渐地渐渐地

有时候在各场次之间一条小海鱼一只小虾这样
的事我偶尔也能碰到这继续在过去中啊但愿就
是在过去一切都在过去波姆来了我消失了而波
姆关于共同生活人们过得很好那是一些好时候
一些傻事这无所谓一条小海鱼一只小虾

没有破皮姆的口袋没有破没有什么正义或者就
是如此一些无法理解的事情某一些

比我的更旧而没有破也许是一种更好的黄麻布
就这样依然还有半袋满或者有什么东西从我这
里跑走了

一些空瘪了的和破烂了的口袋另一些则不是一

个得宠的故事这可能吗一直到这地牢中为什么愿意我们全都平等有的人消失了而有的人永远也不

我听到的一切放走了一多半放走了全部再也不听见任何东西留在那里在我的怀抱中跟我的口袋在一起旧的我人们说到我旧的没有结尾把一切造物都埋葬的结尾直到最后一个傻瓜那会是一些好时候那里在黑暗淤泥中什么都不听见什么都不说什么都不能什么都

随后突然所有开始过的都重新开始如何知道出发再出发十米十五米右脚右手又推又拉某些蓝色角落的形象三四个哑默的词不拧松螺丝某些沙丁鱼淤泥张开弄破口袋傻事肮脏的呼噜呼噜声总之老路

从下一个凡人到下一个凡人并不走向任何地方没有任何其他目标一直到比下一个凡人更为广阔跟我粘上命名它驯化它盖上它一直到罗马大写字的血用它的寓言把我填饱让我们在禁欲主义的爱情中结合一辈子一直到最后一条开心的鲱鱼而稍稍更多些

一直到某一天噗嘶他躲藏起来而把他的效果留

给我并创建了预言新的生活更多的旅行更多的
蔚蓝淤泥中的一声喃喃这没错一切都应该没错
而人们来到了人们来到了十米十五米我对于皮
姆皮姆对于我

我听到的一切什么都不再听到存在于此如同在
皮姆之前在皮姆之后如同在皮姆之前在我的怀
抱中跟我的口袋在一起然后突然老路走向我的
下一个凡人十米十五米又推又拉一个季节接着
一个季节我唯一的季节走向我的第一个凡人傻
事幸亏持续的时间很短

第一课他唱的主题我的手指甲深深地掐进他的
胳肢窝右手右胳肢窝他叫喊我缩回手指甲狠狠
的一拳打在脑袋瓜上他的脸陷进了淤泥中他不
吭声了第一课结束休息

第二课同样的主题手指甲掐在胳肢窝里叫喊一
拳打在脑瓜上沉默第二课结束休息所有这一切
非我力所能及

但是这个人不是傻瓜他恐怕在对自己说假如我
处在他的位子上他想拿我怎么样还不如说人们
人们想拿我怎么样就这样把我牺牲掉了答案渐
渐地散乱了一些很长的时间

我根本就用不着大声叫喊这是显而易见的既然人们马上就惩罚我了

也不是纯粹的性虐待既然人们妨碍我叫喊

也许是我无法做到的当然没有办法做到啦这个人可不是傻瓜这是明摆着的

人们知道我能够做什么唱歌人们想要我来唱歌

若是处在他的位子上我最终会对自己说的话看起来似乎我也可能弄错了上帝才知道我是不是不太聪明不然的话我就该死去了

这事或者别的事日子来到了还是这个词我们来到了在多少步之后没有数字一段很长的时间很长时间以来胳肢窝就被挠伤了因为换地方人们被诱惑因为绝望而尝试另一个更为敏感的眼睛玻璃球不扔掉麻烦尤其不要致命的

于是那一天胳肢窝被挠伤时他没有叫喊反而唱起了歌歌声响起在眼前重新出发在眼前

我缩回我的手指甲他继续唱着同一首乐曲看起

来我很有音乐细胞这一次我生来就有音乐细胞这一次这一次飞行中某些词眼睛天空爱情也许是这最后一个词复数的同样时髦我们使用了同样的俚语真是太绝了

还没有完呢他停止了手指甲还在胳肢窝里他又重新唱起了那歌赢了胳肢窝而这一音乐是那么地确信我在转动一个纽扣的同时我可以随时随地地把它献给我

还没有完呢他继续打脑袋瓜他停止唱歌时也停止了它打脑袋瓜在任何情况下都意味着停止而这个以几乎机械的方式好好地思索一番至少是对歌词

机械的为什么因为他有打脑袋瓜的效果人们现在说的是打脑袋瓜有把脸陷到淤泥中的效果嘴鼻子直到眼睛它到底涉及的是什么呢是什么别的对皮姆来说只有歌词某些歌词他时不时地能够我不是一个魔鬼

我不会自讨麻烦地去问他他不能实施在脑袋上的东西比如说或者站立或者跪下当然不会

或者在脊背上或者在侧身上现在不再是个记恨

的人不再祝愿任何人任何一秒钟做该做而做不了的事巨大的铙钹胳膊大张开二百度砰嘭奇迹奇迹不可能做不可能痛苦当然不

只是让他唱或者说而且还不是这个多于那个一开始之间地说他所愿意的他所愿意的时不时地某些歌词不再多了

于是第一课第二系列但是首先拿过他的口袋这他是要抵抗的他挠他的左手一直到骨头这不远他叫喊但是别松手他应该流失的鲜血自从那时起一段很长的时间我并不差人们应该这样说的碰到口袋了这我得手了我的左手伸进去然后角角落落地搜寻这里是开罐头刀一对圆括号

没有明确没有问题但是自从我们在一起的时候起好多夫妇满足于此看到对方死去而没有一句怨言早已经受够了

而皮姆整整这段时间一段很长的时间没有一个动作除了嘴唇的动作由此还有脸的下部为了唱歌叫喊右手越来越不痉挛为了让钟点转得灰绿他永远不会看到当然不愿意被我印刻皮姆没有吃

我却吃了什么都没有说没有说出一切几乎什么都没说这已经实在太多了我已经吃了我已经送他吃的东西了粉碎在嘴里丢失在毛里淤泥我的手掌流淌着鳕鱼的鱼肝油或者类似的油脂再怎么地使劲搓都不管用假如他还要喂食的话就是淤泥如果它们还有的话我总是说这淤泥通过渗透渐渐地慢慢地发生毛细作用

通过石头当它伸出来时嘴巴当它微微张开时鼻孔眼睛当它们微微张开时肛门则不它在透风耳朵也不

尿道也许在尿出最后一滴尿之后曾经那么发挥抑制功能的膀胱也松弛了下来某些腺孔也一样尿道也许相当数量的腺孔

这一淤泥我总是说它为你们抓住了它命中的人而他则紧紧地抓牢了口袋事情就应该发展到这一地步我怎么听到的就怎么说它是不是没有被他用作了枕头他把它紧紧抱在怀里就像要把它扔出窗外那样撂在窗台上

不你们看见了这个口袋我总是说这个口袋对我们这些人来说只是别的东西而不是食品储藏柜不是靠脑袋的靠垫不是一种友好的在场不是一

件可拥抱的东西不是一个可以把亲吻盖在其上的表面它完全会是别的什么东西人们不再以任何的方式利用它人们紧紧地抓牢它我应该把这一属性归于它

我的左手现在第二部分后一半它现在休息时做什么它从皮姆的手的那一侧抓住口袋在这口袋上没有任何东西开罐头刀开罐头刀很快地皮姆将说话

还有那么多的罐头在那里这是出乎我意料的事情我把它们一个一个地掏出来放在淤泥中始终用左手一直到掏出开罐头刀最后把它放在我的嘴里再把罐头一个个地放回去我不说是全部而我的右胳膊在此期间

整整这段时间一段很长的时间所有这一切非我力所能及真正与皮姆一起我的力气就消失了这是迫不得已的我们是两个人我的右胳膊把它紧靠着我的爱害怕被抛弃每个都有那么一点点人们不知道人们不说而随后

随后我的右腿向斜里一伸就卡住了他的双腿人们看到动作我把开罐头刀拿在我的右手沿着脊梁骨往下出溜塞进了他的皮肤中不是屁眼你要

想到屁股一个屁股他叫喊起来我便把它收回来在脑袋瓜上打了一下他不吭声了这有些机械第一课第二系列结束休息这里圆括号

这把开罐头刀当我不再需要时把它放哪里好呢放回到口袋中跟那些罐头在一起当然不把它拿在手中也不咬在手里肌肉松弛下来淤泥吞下在那里

在皮姆的屁股中间放在那里不太有弹性但已够软了在那里它什么危险都没有对我说这已在什么地方说过了词语都在那里在某个地方跟某个人说的有人在场我也许会是另外一个更为复杂的人

不是的还要更低在大腿之间这样更好下面是尖尖的头只有柄上像梨一样的小小鳞茎超出了一点在那里它什么危险都没有对我说太晚了一个同伴太晚了

第一课的第二系列同样的原则同样的进程第三课第四课依此类推一段很长的时间直到那一天还是这个词屁股被刺了一下后他非但没有叫喊反而唱了起来这个傻瓜这个皮姆毕竟混淆了屁股和胳肢窝兽角和铁器他那时候挨的打我向你

们担保很幸运他不傻他应该对自己说人们还想要我怎么样这一新的殉难意味着什么

我没有叫喊也没有唱这可是淫荡残酷的胳肢窝我们看到了哦不真的我没有看到

人们自有其想法这是显而易见的这个生命实在太细腻了根本无法问我不可能到底什么事情对我不是不可能的唱歌哭泣还有什么我还知道干别的什么我到底会干些什么

也许思索假如人们愿意这有可能眼下我干什么别的呢人们现在可是并不重新开始号叫脑袋瓜上来一下沉默休息

这也并不是一件可能的事真的不是我看不出来我是不是会问有一天我也许会问假如我愿意的话

不太笨只是有些迟缓我们到达的那一天他也到达那时屁股挨了一下现在只剩下一个伤疤他并没有叫喊只是短短的一记喃喃声赢了

用开罐头刀的柄如同用一个研杵在右腰上来它一下比从我出来的另一侧更方便叫喊脑袋瓜上

打一下沉默简短的休息飞剑一击突刺在屁股上听不清楚的喃喃声右腰上来了一下意味着一劳永逸更为有力叫喊脑袋瓜上打一下沉默简短的休息

依此类推时不时地带有保持经验的故事返回胳肢窝歌声高扬这可行嘛马上割断所有这一切都在杀死我我要放弃当腰身在某一天终于被击中时他不傻只是有些迟缓他没有叫喊而是发出一声哎你我什么我不哎你我什么我不很好很好我明白脑袋瓜上挨一下子赢了他还没有习惯但是他将会有的那里有什么东西超出了我的掌握

我把那器具摆在他的大腿之间抬走压在他小腿上的我的腿用我的右胳膊卡住他的肩膀这就如同对待口袋他不能离开我但是我满腹狐疑长久的休息对我自己说字词就在那里太晚了当然但是尽管如此什么样更好已经如同我赢了

大量的虚假存在共同生活短短的羞耻我没有丢失于非存在中不是没有回归未来将会说到这一点它正在走来但是一种如此的肮脏唔甚至不甚至不唔脸下部简短的动作让我们好好地利用寂静让我们迎接死亡的寂静让我们耐心

一系列的训练没有必要让我们跳吧

图表基本的刺激一唱歌指甲挠着胳肢窝二说话开罐头刀的铁片在屁股里三停止拳头打在脑袋瓜上四再厉害点开罐头刀的柄打在腰上

五别那么厉害食指捅在肛门中六太棒了耳光骑坐在屁股上七跟三同样八依然跟一或二同样按照

右手的全部我都说过了而左手在这个期间一段很长的时间我说过了听说在外面的内心中到处都是嘎嘎声淤泥中的喃喃声它从皮姆的左侧拿定口袋我的大拇指在它的手掌心和他蜷曲的手指头之间滑动

拼写法然后皮姆的嗓音直到它的消失第二部分结束只剩第三和最后部分

用右手食指的指甲我刻写当它破碎或者脱落时我就一直等待它重新长出一片新的来刻写在皮姆一开始还空白的背上从左到右从上到下就像在我们的文明史中那样我刻写我的大写罗马字母

一开始很热情随后便不那么热情了他不傻只是有些迟缓到最后他明白了一切几乎一切我没有任何什么可说的几乎没有任何什么甚至上帝我的雨水我的晴日上帝时常地提出问题如同在幼年时很模糊甚至上帝到最后他几乎就明白了

幼年时的一段时光黑羊羔世界的罪孽清扫干净的世界三个人这是对你说说这一信念印象从此之后十年十一年我可能有过的这一信念印象从此之后一段很长的时间我将要把它给追回来蓝色的大衣鸽子奇迹他明白

我可能有过的这一童年很难相信这一点印象中诞生时就已是八旬老者是人们要死的年纪了在黑暗中淤泥中追溯到诞生像溺水者那样重新返回到水面哒哒哒四个脊背满满的都是密密麻麻的字体童年信念蓝色奇迹一切都丢失从来未曾有过

人们看到的蓝色白花花的灰尘新近日期的印象令人愉悦不悦最后还有任何激情都破坏不了的印象不太容易的事情

一段路程不是一段文字不是一个逗号不是留作思索的一秒钟用食指的指甲直到它脱落而疲惫

的脊背一处处地流血那是走向结尾如同昨天一段很长的时间

但是快点一个十分简单的榜样在最初的和英雄的时代中然后对皮姆来说是歌词直到它的消失第二部分结束只剩第三和最后部分

用右手食指的指甲刻写大写字母写得很大整整两行而交流则要短很多而字体则要大得多只要稍稍早一些知道就行了人们想说的是什么他也是感觉到了大大的字母装饰有蛇小魔鬼早早知道这将十分简短你皮姆稍停你皮姆在垄沟中哲理一种困难他抓住了没有如何知道

打他的屁股针也就是你说啊他将说随便什么他能够的而证据我必须有证据于是以一种特殊的方式打屁股针一劳永逸地意味着你回答呀这正是我在做的这已经是更好了既然我赢了

无法描绘的特殊的一击一次妙手魔术这对我来说就值得满足一天一段很长的时间我蒂姆或者吉姆无论如何不是皮姆还不是脊背他还没有极其敏感的背但是他将会有的那已经很巨大了已经赢了休息

只需要重新开始不失去勇气把 P 刻深一些必须刺下去为了有一天他能放弃试验罗马字母表中所有的辅音能最终回答这是数学我皮姆他最终所做的确实就是我皮姆在大圆面包上骑马似的折腾开罐头刀在大腿之间胳膊紧紧地抱住他可怜的肩膀休息已经赢了

因此其他的例子还有什么用呢那曾是一个糟学生而我一个糟老师但是时间的长度很短短得人们几乎应该说等于没有

我什么都没有只是说了这个说了那个你在上面的生命你的生命一段时间我在上面的生命好一段时间上面在那在那光明中一段时间光明他的生命在上面的光明中八音节诗几乎要获得一切一种偶遇

于是我我身上一无所有我的生活何等的生活从来什么都没有几乎是从来没有他也一样不然的话他就是受他自己意愿的抑制从来没有但是一旦投入便不无愉悦印象或者幻觉他便不再枯竭直到在脑袋瓜上来十下十五下有时候嘴脸上的七窍全埋在粪便中就该使劲地打使劲地打

虚构部分当然巨大一个巨大的部分一件事情人

们还不知道威胁流血的屁股紧张的神经人们虚构创造但是如何知道想象现实人们不能够人们不说有何等的重要性这很重要那确实如此那真是很棒一件重要的事情

于是这一生活他可能虚构回忆的生活每一种都有一点如何知道这一高高在上的东西他把它给了我我把它变成了自己的它对我歌唱尤其是天空尤其是道路他在其中滑动就如同它们随着天空在改变人们晚上来到大西洋汪洋大海这要看他们是到岛屿去还是从那里回来时光的脾性并不见得人们很少总是同一些我抓住了一些我留下了一些美好的时刻它什么都没有剩下

亲爱的皮姆从活人中间返回另一个给了他这种狗的生活需要喝的需要吃的而我将要把这给另外一个人我内心的嗓音现在已经说了它而以前嗓音还在外面四处的嘎嘎如何相信它在黑暗中淤泥中一种在上面的唯一生活一年一年地过永远只有一种是最喜爱的差不多也是最需要的

这就是我所需要的我在变化无常的外层世界中最最需要的这就是相同的生活总是一些外表总是按照需要在变化着但是需要需要这里各个不同年代并不总是相同的需要相同的渴望嗓音这

样说了

它这样说了我为我们其他人喃喃说道一个接着一个相同的渴望一种在上面的唯一生活按照那些唯一的需要如同这里一种唯一的如何相信它呢至少自愿地相信这要取决于日子脾气日子人们还在脾气稍稍有些改变人们心里可能说不出什么声音没有什么能够阻止你们今天我也许没有昨天那么悲伤没有任何什么禁止你们这个

我再也看不到了的那些东西小小的场景第一部分都在它们的位子上皮姆的嗓音皮姆在光芒中在白天和黑夜的蓝色中小小的场景幕布掀开淤泥淤泥掀开这就亮了他看见了对我来说这也同样人们可以说没有什么对抗它

长久的沉默越来越长很长的时间越来越在丧失他丢失了回答我丢失了问题生活在光芒中的厌烦一个问题所有的不再不再有数字不再有时间关于其生活的重大的数字重大的时间在黑暗中淤泥中在我之前尤其是故事假如他还活着的话你在这里在我之前的生活彻底的混乱

上帝之上的上帝绝望的最后一着彻底的混乱假如他相信他相信然后不不再一般他的理由在两

种情况中我的上帝

我扎他就像我扎他在最后更早些仅仅只是故事他是不是还活着嘣一下打在脑袋瓜上淤泥中肮脏眼泪好一个打不死的兄弟

假如他听到一个嗓音假如仅仅是这个假如他万一真的听到一个嗓音一些嗓音假如我只是向他要了这一点不可能我还没有听到它那嗓音那些嗓音如何知道确实不

我到最后也不我就永远也不会听见它了听到了它说我喃喃地说只有他的嗓音也没有没有皮姆从来没有嗓音如何相信它呢在黑暗中淤泥中没有嗓音没有形象在最后更早些

那些样本那前来回忆起来想象出来的如何知道上面的生活此地的生活天上的上帝是的还是不是他是不是有一些爱我皮姆是不是有一些爱我是还是不是假如我爱他在黑暗中淤泥中总归一点点的亲情找到某个人让某个人找到你最后生活在一起黏合在一起彼此有一点相爱爱上人一点而不被人爱上被人爱上一点而又不能够爱上人回答这一点留下模糊在黑影中

第二部分的结束第一部分结束了只剩第三和最后部分那是一些好时候将会有一些好时候不那么好的时候应该期待着但是首先转上小小的一圈最后一圈新的位子对心灵的效果

我松开口袋松开皮姆这正是最糟的松开口袋啪地朝前半左侧身右脚右手又推又拉向右向右不要失去它在他的脑袋前头发上别着别针总是在右侧然后重新从他的右胳膊上撑起身子沿着腰身抓紧并停止脑袋靠着他的脚而他的脚则靠着我的脑袋长久的休息忧虑在增长

突然返回用右手擦过西边和北边我抓住了他那对他来说过于大的皮肤我把自己向前拉动最后一个小圈子直到我的位子上不应该离开它我将不再离开它了我又拿起口袋他没有动皮姆没有动我们的手彼此碰触长久的休息长久的沉默很长的时间

你在上面的生活不再需要光芒只有两条线向皮姆话语他转过脑袋眼睛里都是眼泪我的眼睛我的眼泪假如我还有眼泪的话那正是在那时候应该有而不是现在

他的右脸颊贴着淤泥他的嘴贴着我的耳朵我们

的肩膀紧紧地靠在一起他的毛跟我的毛缠在一起人的喘气尖厉的喃喃声过于强烈手指头在屁眼里我将不再动我还在这个位子上

很快地不可忍受的打击在脑袋瓜上长久的沉默很长的时间开罐头刀屁股或者大写字母你的在上面的傻蛋生活傻蛋这里傻蛋从头到尾分散的片段各种概念的顺序并非如此而到最后更是针锋相对你爱我吗不或者手指甲胳肢窝小小的歌曲这可能真是第二部分的结尾只剩第三和最后部分白天来到我来到波姆来到你波姆我波姆我波姆你波姆我们波姆

他来到我将有一个嗓音世界上不再有嗓音除了我的一声喃喃有过一种上面的生活这里我将重新看到我的东西一点点蓝色在淤泥下一点点白色我们的东西小小的场景尤其是天空还有道路

而我我将看到我我将隐约看到十秒钟十五秒钟很好在我的角落里或者夜晚来临最终没那么多光线稍微少一点床上的好人们前来催促我走向下一个最后一个当然更好那将是一些好时候我将会有一些什么样的好时候在上面在这里只需要上升到天上

那些样本我在上面的生活皮姆的生活人们说到皮姆的生活我在上面的生活我的女人停靠开罐头刀慢慢出发然后他冲动朝脑袋瓜上来一下长久的沉默

我的女人在上面帕姆普里姆我不再知道我不再看到她她刮光了自己的阴毛从来没有见到过这个我像他那样说话我我说话人们像他那样说到我小小的盒子鸟儿的语法没有了脑袋然后在洞洞里有缨子

我像他那样说话波姆将像我那样说话作为一个在这里说话一个接着一个嗓音说它像我们那样说我们的嗓音对所有人说嘎嘎从四处传来然后在我们心中当它停止喘气时它的碎片我们还拉着我们的老头每人自顾自地说按照自己的心愿自己的需要他们所能的她闭口不言我们的嗓音开始重又开始如何知道

帕姆普里姆人们彼此相爱每一天所有三个人然后星期六然后像这样这里那里出些问题彼此摆脱试图重新从屁股发动太晚了她从窗户倒下了或者跳下了柱子粉碎

在医院在度过所有的日子整个的冬天之前她就

原谅了我对所有的人整个世界她变得善良上帝
又来召唤她高山变蓝奇怪的想法不算糟糕褐色
那时在尸床上那又重新长出

床头柜上的花儿她不能转动脑袋我看到花儿我
把它们拿到她的眼前胳膊尽头人们看到的东西
右手左手在她的眼前那是我的探访在这段时间
中她原谅了拉丁的雏菊珍珠这是我曾能找到的
一切

涂了瓷漆的白色铁床五十宽整体都是白的高高
的在爪子之上我看到相当的爱情看到别人的家
具而没有被爱的人请承认吧

坐在床前挨着床帮拿着一个花盆一只发绿的高
脚酒杯脚在虚空中花儿在我们当中其间还有脸
我已经不记得曾是如何的了只是洁白如同白垩
他什么都没有拿要不然我的目光就是游弋了它
们一共有二十来朵

从那里出来道路下坡路边有树成千上万全都一
样同样的种类从来不知道是那一类数公里的上
坡笔直笔直从来没有见过这样的攀爬上去冬天
薄冰发黑发灰的树枝霜花她在那上面在尽头弥
留之际浑身雪白地原谅

她曾恳求的枸骨冬青绿篱无论哪一种一点点颜色一点点绿藤蔓是如此的白无论是哪一种我无法对她说找到找到字词地方她应该在夏天做这些七月份啊呜找到字词说出地方我曾寻找左脚右脚向前一步后退两步

我在上面的生活我在我上面的生活中所做的事情什么都做了一点点什么都试了试然后又放弃这很好同样的东西总是一个洞一片废墟总是要吃从来就没任何才华生来就不是干这种精细小玩意的种游荡并睡在各个角落里我想要的一切我都已经有了现在只需要到天上去了

爸爸关于建筑物没有任何概念也许什么地方从脚手架上掉下摔了屁股不脚手架倒了他跟着一起摔下屁股落地一百公斤死亡爆炸那应该是他或是叔叔上帝才知道

妈妈也没有概念煤玉柱子看不见的《圣经》在黑黑的手中金黄红色的层片黑色的手指头里面是赞美诗一百零几篇哦上帝凡人他的白日如同青草花朵在云彩之上的高高的风象牙洁白的表面嘟囔的嘴唇在下面这很可能

没人总是认识没人永远逃亡跑向别处某些地方我在上面的生活一些地方一些简短的道路地方长长的道路最短的或者千百个曲折最确实的总是夜晚没多少光线稍稍少一点Ａ到ＢＢ到Ｃ最后到家切实的地点倒下睡觉

最初的声音不是窃窃私语铁器的叮当不看脑袋捧在胳膊中眼睛盯着地面无袖大衣在一切之上转动脑袋到斗篷的隐藏底下弄开一条缝快快地张开眼睛又闭上把缝也合上等待黑夜

Ｂ到ＣＣ到Ｄ从地狱到家地狱到家到地狱总是黑夜Ｚ到Ａ被遗忘神圣足够

他曾在想我们曾在想只是为了说话为了倾听甚至没有逗号一张嘴一只耳朵老滑头一个碰上另一个清除其余把它们都放到一个大瓶子中在那里完成假如这独白还有一个结尾的话

那么让我们至少梦想一下这些但是不要梦想我我皮姆波姆要来想我啪

独自一人皮姆独自一人在我之前他的嗓音回来他像我那样说话第三部分像我一样我在淤泥中喃喃我在内心中听到的当它停止喘气时一些碎

片我是不是仅仅提了问题不可能我不知道我还没说话他是不会知道的那么那么我不知道我将不知道我没有提问题人们也将不来问我

我的嗓音飘离了它还将回来我的第一部分不在上面皮姆的生活从来没有在上面从来没有对任何人讲过从来不是独自一人一些哑默的字词没有声音我很想如此下部简短的动作大混乱如何知道

假如波姆不来到假如只是如此但是那样一来如何结束这个屁股想象中的手已经伸了下去摸索着而随后这个嗓音它的安慰它的允诺想象中亲爱的水果亲爱的蛆虫

所有这一切永远每一个词如同我在曾处在外面的内心中听到的那样当它停止喘气时在淤泥中喃喃一些碎片我让他回想起每一个词总是我将不再说它而现在什么可以用来结束在继续之前还有什么别的东西吗结束第二部分只剩第三和最后部分是的独自一人只有独自一人可惜啊

独自一人而证人俯在我的身上姓名克拉姆俯在我们身上从父到子到孙是的或者不是书记官姓名克里姆一代代的书记官握着铁笔稍稍闪在一

旁坐着站着人们不说是的或者不是样本片段

脸下部的简短动作没有任何声音或者声音过于微弱

十米一小时四十分六米一小时也就是说人们看得更清楚每分钟十厘米四个手指头稍稍更多些我记得我的日子手的长度我的生活如同一个微不足道者人站立一丝气息

努力打开罐头没看到有什么改变我们的灯放弃把罐头和开罐头刀重新放回口袋里十分平静

睡着六分钟气息被打断一醒来就出发六米稍稍更多些一个小时十二分倒塌

第七个纹丝不动的年头结束第二年的开端丑陋的脸的简短动作像是在吃淤泥

凌晨三点钟开始喃喃出声我的惊讶过后可以抓住一些片段皮姆比姆专有名词看起来出于想象梦想事物回忆不可能的生活一切都是复数都是偶然这就是我的老兄老工地别了

沉默魔鬼很长的时间完美的虚无重读祖宗的笔

记为的是穿越时光喃喃的开始他最后的日子走运的人见证了这些我对此又有什么用

重读我们的笔记为的是穿越时光再没有我什么事只有他的一点点事如果他还结结巴巴一年多我已经失去了十分之九这出发得那么突然响得如此微弱去得如此快持续得如此少我得赶紧它已经结束了

这不会比一个躺着的人还更能动弹而且目光禁止离开他这又有什么用克里姆说他就要累垮了我也一样人们不敢放手让人们活活累垮这是唯一的解决办法

昨天在祖父的笔记本中就在那个地方他希望死去衰弱幸亏过渡家庭的名誉他维持得很好一直到退休而我很幸运厌烦无所事事让我大笑吧性格的问题血中的职业

我睡在他的旁边幸运的革新最好还是这样地监视他不是一种不由自主的颤抖按照古人甚至爸爸的方式坐在小小的凳子上以至于对眼睛不如对耳朵来得好假如我敢于这样说的话尽管缺少创造性也算很清楚

克里姆也一样笔直如同紫杉在他的课桌上一切都是他的事务圆珠笔清楚明察秋毫缺少的不是作品假如没有我发明必须关注不然就是死亡

一本给身体的笔记本屁无气味屎尿也同样纯粹的淤泥吮吸惊跳左手在口袋中的小小痉挛下部的颤抖没有声音脑袋的柔和稳重的运动离开了淤泥的脸面左边或右边的脸颊以及摆定在其左边或右边位子上的脸颊脸面或右边的脸颊左边的脸颊或者脸面按照情况的不同在我看来对我来说一个好点这使我回想起什么

克拉姆老七在极端也许脑袋比枕套更白而我比小无赖还要其甚这难道就是结尾最终长而安宁的临终而我幸福的入选者一个关于这一切的笔记本无论如何人们可以在这里头读到样本五月八日胜利节感觉他在深入克里姆把我当作疯子

第二个结结巴巴一个词接着一个词我在其中勉强碰到了第三个这一位作为我的解释直到现在为止一切都杂乱无章地聚集在相同的蓝色黄色和红色中只要想想它们就够了

沉浸在我那些灯的光芒中如有皮肤在水中他嘟哝着黑暗难道他失明了很有可能他有时候睁开

那些大眼睛巨大的一种蓝一个同伴我我在他的脑袋中根本看不到那些黑暗朋友

禁止碰触人们会让他放松克里姆想从别处经过给他擦屁股至少擦脸人们冒了什么险将没有人知道人们永远不知道最好还是不

梦见克拉姆老九我们所有人当中最伟大的至今还无声名很遗憾爷爷回忆起来疯子愤怒在界限之前努力追溯捆扎得像一根肉肠克里姆消失永远没有再见到

他第一个产生同情毫无效果幸亏家族的荣耀要取消小小的席位恼怒的革新没有维持住没有下文的三个笔记本的概念崇高又是什么它就在那里

丰富的证明不可靠的同意尤其是黄色笔记本不是这个这里的嗓音在这里整个我要抛弃什么都不说当什么都没有

蓝色眼睛我我看到它们老石头也许我们新的日光这同意朋友在脑袋中和黑暗中这很显然还有嗓音他们所有人的嗓音而我我什么都没有听到什么样的全是狗屎我是名字的第十三个

那里还是很显然如何知道我们特有的感觉我们的光亮那是什么证明假如我十三种生活但是已经之前自从多少已经其他的朝代

这一嗓音有些时候很不幸在我看来听到它而我的灯塔我的灯塔熄灭了克里姆把我当作疯子

两年稍稍多一点要拉然后追溯哦不睡下假如我能够睡下不再动弹我能够做到过渡性的衰弱出于同情走得稍稍更远些假如有稍稍远一点的地方的话人们只认识这一小小的场所过去被照亮它动弹它动弹它在书中稍稍更远些在淤泥中黑暗中倒下我的兄长垂死对他的孙子你的爸爸他的爷爷他消失在其中从来没有再见过想着它当你的时刻将来到时

小小的备忘录在一旁那些隐私笔记属于我的小小备忘录心灵的流露日复一日这被禁止一本唯一的大书一切都在里面克里姆想象我绘画什么风景人脸喜爱的遗忘的

相当细腻一些片段是的或者不是是的或者不是不是没有证人没有书记员独自一人与此同时我听到了它喃喃声唯一的在黑暗中淤泥中而与此

同时

而现在为了继续为了结束为了还能够如此一些小场景上面的生活在光明中就像这样原样地来到一字字地最后的那些小小场景我扔开他我拉住他打在脑袋瓜上不可能听到更多或者他自己停住不可能说得更多非此即彼开罐头刀马上或者不是常常不是于是沉默休息

他闭嘴不言我使他闭嘴让他自己闭嘴非此即彼没有说明事情停下来长久的沉默多多少少没有说明长久的休息多多少少我扔开他开罐头刀或者大写字母按照不然永不一句话新的系列依此类推

白色的是一些洞这多多少少在滚动多多少少大的是洞人们说到了洞不可能说明没有必要我认出它们来等待后果或许我弄错了而开罐头刀或开罐头刀这毕竟有助于他从中摆脱没有说明原样的就如同这一字一字地来到为了继续结束能够如此第二只剩第三和最后

什么国家所有的国家子夜的太阳正午的夜所有的纬度所有的经度

所有的经度

什么样的人们整个的幽灵从黑到白全都尝试了然后放弃了这是同一回事太模糊原谅怜悯回家为了死在故乡二十来个钢铁般的健康在上面在光明中我的生活赢了我的生活尝试了一切尤其是建筑它很好所有的枝条尤其是石膏遇见帕姆我以为

爱情爱情的诞生增长减少死亡努力为了复活通过屁股无用的结合重新通过傻瓜无用从窗口扔出或者倒下柱子粉碎医院雏菊谎言关于槲寄生对不起

我出来白天不黑夜没多少光线稍稍少一些我出来黑夜白天我躲藏一个洞一处废墟遍地废墟的地方所有的年代我的斯比纳尔狗或斯比纳尔犬①它舔我各部分斯科姆斯库姆从一个小坟底下经过它没有完整的脑袋柱子粉碎三十来个活着始终铁一般的健康做什么呢做什么呢

生活小小的场景仅仅有时间看一看掀开的帷幔沉重摇晃黑色的法兰绒什么样的生活谁的十年

---

① 此处为英语。

十二年熟睡在阳光中在墙根下白色的灰尘一掌来厚蔚蓝的天小朵的云彩其他的细节沉默重又降临

什么样的阳光我说了什么无所谓我说了应该看到的正是这个某种东西把这个叫作上面说是正是如此正是我十年十二年熟睡在阳光下在灰尘中以求平和我有它了我有了它开罐头刀屁股场景以下的字词

月光下的大海月亮在太阳之后离开港口始终是一片光明白天与黑夜后面有小小的一堆我我所看到的所有人我所有的年代水流把我带走等待落潮我寻找一个岛家最后倒下不再动弹小小的一圈晚上直到海岸旁边大海然后回去倒下睡觉在寂静中醒来眼睛可以一直大睁着活着旧梦螃蟹海藻

在后面兄弟们的陆地慢慢地远去光芒熄灭高山假如我回头汩汩声更响他倒下我倒下膝盖跪在地上爬向前面链条的声响也许那是另一次了一次旅游跟另一次混淆了什么样的岛什么样的月亮人们说的是人们看到的东西有时候是一起而来的思想它消失而声音继续几个词它可以停下它可以继续人们不知道这要取决于什么人们

不说

于什么死人的手手指甲可以继续长几毫米有一点长度生命离开了它们死人的脑袋上头发也是一个脑子一个孩子让它滚动我比他要高我我倒下消失脑子还在滚动丢失步态蹒跚倒下消失小路上静悄悄

不可能继续我人们说到我不是皮姆皮姆结束了他结束了我现在在第三部分中不是皮姆是我的一个嗓音在说那些字词不可能继续而皮姆说皮姆从来就没有在而波姆说我等着以便结束被结束我也是说波姆将永远不会在是皮姆而不是波姆而声音嘎嘎我们所有人的嗓音也同样始终没有存在过只有一个嗓音我的嗓音从来没有别人的

所有这一切不是皮姆是我在喃喃所有这一切属于我的一个嗓音独自一个俯在我身上正在记录三个词中的一个五个词中的两个一代接着一代是或不是多少词中的一个但是尤其是在继续眼下不可能完全就是基本的甚至是一种疯狂我听到它了在淤泥中的喃喃声淤泥疯狂疯狂停止你的重生再把淤泥涂在你的脸上孩子们在沙土中在海滩上在农村中这样做最不走运的那些生涯

一切对着一切围绕着孩子你在采沙场里也许也会这样做甚至连你淤泥涂得比太阳穴还高人们只能看到三根灰色的头发旧假发套扔进垃圾堆假脑袋瓜湿漉漉的休息你什么都说不出来当时间完结时你也许也将完结

所有这一切是说出所有这一切的时候了我的嗓音一个属于我的嗓音不是那样的还是更低沉不那么嘹亮但是有意思再回到皮姆他被扔在哪里了第二部分它可能也结束了应该如此这更好多于三分之一五分之二然后是最后只剩最后部分

F于是深深的光束很快地就是结束那上面最后的东西最后的天这只苍蝇也许躺在窗玻璃上在布单上整个夏天在它面前或者中午荣耀归主颂色彩缤纷在窗玻璃后在岩洞的窗洞而帘布来到了

两条帘布一条在左一条在右地来到了汇合了或者一条向下一条向上或者从左上的或者右上的角落向左下的或者右下的角落斜向地剪掉了边裾一二三而四它们来到汇合了

第一对然后是其他在它们之上依据需要而那么

多次或者第一对一二三或四第二对二三四或者一第三对三四或二第四对四一二或三依据需要而那么多次

为了什么为了幸福为了让肿胀的眼睛眼珠看到大白天黑夜清晨的苍蝇四点钟五点钟太阳升起它的白天开始苍蝇人们说的是一只苍蝇它的白天它的夏天在窗玻璃上在窗帘布上它的生活最后的东西最后的天

F于是深深的很快地就是结束那上面光芒我的耳光和指甲在皮肤上为的是罗马字母 I 上面的横杠当突然太早太早还是某些小小的场景突然在上面打了一个小小的十字很深黑海的圣安德烈十字还有开罐头刀就是说我还有这些突变

我的生活还是在上面在光芒中在口袋中它重又动弹安静下来又通过变得丝丝缕缕的经线在那里动弹日光掠过得不那么白远方总有嘈杂的声响但是弱多了这是晚上他从小小的口袋中出来还有我我还在那里第一个始终是我随后才是其他人

多大年龄了我的商店五十六十八十蜷缩着跪下屁股顶着脚后跟双手分开按在地上像脚一样这

很清楚大腿有些难受屁股抬起脑袋摇晃摩擦干草扫帚的声音更好狗的尾巴我们要走掉最终回家

我的眼睛开得太大还是白天我看到每一根干草人们至少敲了三四下锤子也许是十字剪刀或者别的什么装饰品

四脚着地爬到门口抬起脑袋但是对了见鬼通过一条缝到世界的尽头我会这样地去世界的尽头跪着去我会绕着世界转一圈跪着转胳膊当前腿在前眼睛离地面只有两手指头嗅觉返回我身上干燥季节中我的笑声掀起灰尘来膝盖跪地沿着舷梯在甲板之间跟移民在一起

紫色的日光《荷马史诗》一般紫色的波浪在街道中间野蝙蝠出没我们却还没有没那么傻是我脑子声音总是很远很弱这晚上的空气需要如此必须理解那些事情再晚些在靠近的只是一种轮子的吱扭声在靠近轮缘包着铁皮在砾石上颠簸也许是收获的庄稼返回粮仓但是那时候木头鞋

没关系我又在这里了由于我持续着始终跪着双手并在脸前面大拇指的顶端并在一起在鼻子尖前面手指头的尖头并在一起在门前面脑袋的顶

部或者颅顶靠着门人们看到这举止不知道说什么好恳求谁恳求什么没关系重要的是行为举止本身是意愿

由于我持续着天色将晚有一天一切将熟睡我们将溜到外面尾巴扫着干草他不再有他的脑袋现在轮到我来为我们两个思考了瞧这帷幔来到了很是珍贵从左到右把我们抹去然后是别的整个的门很快经过在上面小小的场景我恐怕无法想象我不会有

脑袋瓜上的一击尸体剖析又有什么用然后什么然后什么我们将试图看到然后最后的回击字词某些字词你爱我吗傻瓜不是皮姆的消失第二结束只剩第三和最后人们无法继续人们继续同样的东西人们将会停下来停止宁可是那里人们无法继续人们无法停下来停止

于是皮姆停下来上面的生活在光芒中再也不能够我赞同或者脑袋瓜上来一下再也不能够我非此即彼然后什么他我我要问问他但是首先我当皮姆停下来时我会变成什么但是首先身体彼此相贴腰身靠着腰身我靠北好的就这样作为树干腿脚但是双手当皮姆停下来胳膊和手在哪里在做什么

他在那里的权利在右边锁骨的轴心或者伏尔加的圣安德烈十字架我的权利围绕着他的肩膀他的脖子我看不到这就是给右胳膊的还有他们的手我看不到人们不说同样的话而其他的左边的那些胳膊人们说到我们的胳膊伸展在我们的面前手全都一起在口袋里好的就这样一共四条胳膊四只手但是全在一起如何做到仅仅碰触或者交叉

交叉但是交叉如何做到如同在手腕中不但是他的手腕放平我的手腕在它之上手指头弯曲在他的手指头中间滑过指甲顶着手掌这就是它们最后采取的位置在那里我看得很清楚好的插入语视觉突然太晚了稍稍晚了一点如何我的次序通过另一条更为人道的道路

我的苛求通过另一种信号游戏完全不同的更为人道的更为精细的从手到手在口袋中左手的指甲和手掌抓挠施压但是不总是右手打在脑袋瓜上爪子在胳肢窝为了歌曲开罐头刀的铁器在屁股中刀把捣碎腰身跨骑在上面食指插入洞洞必需的一切一直到底遗憾好的而脑袋

脑袋致命地靠着脑袋我的右肩膀爬上了他的左

肩膀我各处都在他的上面但是紧靠着如何呢如
同两匹老驽马套在一起不但是我的我的脑袋脸
在淤泥中他的脑袋在右脸颊上他的嘴贴着我的
耳朵我们的毛纠缠在一起印象中要让我们分开
就得把它们切断好的关于身体胳膊双手脑袋就
到这里

那么人们应该做的他我让我们重新沉入到往昔
中在这一姿势中当皮姆停下来再也不能够时我
赞同或者脑袋瓜上来一下再也不能够我我要问
问他但是我我

问题他刚刚所说的更多地要我听到这一被糟蹋
的嗓音如此长期地缄默三分之一五分之二或者
干脆全部每个词问题假如那里什么时候它停下
假如在里头什么地方反思的材料没有话语的祈
祷靠着一个门长长的祭坛向上的冷冰冰的朝向
整个原谅人的太晚了还是什么夜晚在大海上在
低潮期在小小的可怜的海面上有些小岛或者干
脆某一次别的旅游

那里还是有东西会弄错一会儿对这辽阔的季节
或者仅仅一点点供人喝的解渴的水晚上好回答
说一点点腐水这一时刻我还真的会喝

问题一会儿我将要问他的事我将真的可以问他
还关注这个哪怕只是几秒钟那将是美好的几秒
钟回答也还不问题为什么回答因为哎是的理性
我还留着我已经问他的一切只是不再知道是什
么但是仅仅我仅仅知道他还在那里一般还在就
在我的怀抱中紧紧地贴着我以他整个的小小的
长长的至少知道这个在这小小的看不出年纪的
淤泥一般黑的肉体中当沉默复归相当程度地把
情感封闭以便让它还在那里

跟我在一起某个人还在那里跟我在一起而我还
在那里奇怪的心愿当沉默还在那里为了问我哪
怕只是几秒钟假如说他还在呼吸或还在我的怀
抱中那已是一具真正的尸体从此无法处死而我
胳膊底下的这一温乎紧贴着我满是淤泥的腰肋
只是他还那么温乎我们看到了他字词使你们看
到了那地方跟他们在一起奇怪的旅行

我们走着很开心还在又推又拉假如仅仅只有一
条鲱鱼时不时地一只虾那会是美好的时刻可惜
啊不再有道路了它不再通过那里了罐头在口袋
尽头密封空荡荡底下他们的死人之上始终关闭
着嗓音停止生活在上在光芒中出于这个或那个
理由我们在一起人们变成这个样子

我无论如何他我要问问他我无论如何我变成当沉默止住了我然后重新开始这就是道路开罐头刀或者大写字母在紧贴我耳朵的毛毛中强硬的嗓音在上面的生活一声喃喃刀把捅在腰上更高些更高些更亮些我将变成的样子当我不再有它时我将有另外一个嘎嘎我们所有人的嗓音我不说这个我不知道然后我自己的嗓音也不

不不我什么都不说我怎么听到的就怎么说我始终说下部的简短动作没有声音皮姆的嗓音贴着我的耳朵我始终有它上面的生活不太可能别的样子我们的小小场景蓝色日光永远是晴天几团棉絮般的云彩夜晚星辰天体从不漆黑自愿地开诚布公在我们之间秘密话窃窃私语始终如此甚至依我看来我从来没有听到它提问题我喃喃说出我的意见从不提问题不该触及我怀疑我的意见我听到喃喃从不从不

总之皮姆的嗓音然后什么都没有生活如我们所说小小的场景一分钟两分钟的好时候任何更好的东西都没有不要去怀疑克拉姆等待一年两年他了解我们里头有什么东西不对头但是毕竟两年三年到最后对克里姆他们都死了里头有什么东西不对头

克里姆死人们你病了人们不在这里死去克拉姆用他那细长的指甲老长的食指使自己激动起来寻找到淤泥一个小小的烟囱直到皮肤然后对克里姆你说得对他们是温乎的克里姆对克拉姆角色推翻这是淤泥克拉姆人们要让空气看一年两年克拉姆的手指头依然温乎

克里姆我不能相信让我们量一量他们的体温克拉姆没有用皮肤是粉红的克里姆粉红的你病了克拉姆他们是温乎的粉红的瞧我们什么都不是我们是粉红的美好的时候不要怀疑

总之最后再说一次皮姆的嗓音然后什么都没有什么都没有然后皮姆的嗓音我让它沉默痛苦地让它沉默为了不再出声最终让它再出发让它存在最终重新成为某种东西在那里摆脱我因为我在为了能够大写字母致命的开罐头刀理性的逻辑留在我的身上

总而言之更活跃正是从那里我想走过来从那里过来我怎么听到的就怎么说更为怎么说呢更为活跃没有更好的了在皮姆之前第一部分更为独立我看到我自己的形象在攀爬在吃食甚至还思索那么一点点假如人们注意到的话丢失了唯一的那把开罐头刀缅怀这一类一千零一个小玩意

带着激情欢笑甚至哭泣很快就干的眼泪总之
缅怀

同样没有任何东西是那么的确实常常没有无论
如何粉红的温乎的死人我对此早就已经习惯了
从模子开始越来越不是原先的样子这是真的从
模子开始我就认识我自己了它停止喘气我喃喃
出声

甚至皮姆和皮姆一起在第二部分一开头前一半
前四分之一更为活跃知他如同我所知树立他如
同我能做想象一个类似的系统然后实行它我就
不再回来了我让我的丢失起作用因为从那时候
起就很清楚了一只眼睛半睁开很快又闭上从此
我就看见我了只剩嗓音

皮姆的嗓音然后嘎嘎对我们所有人最终对我独
自一人嗓音对我们所有人对我独自一人以我的
方式一声喃喃在淤泥中在空气中黑色的罕见的
只剩简短的声波每秒钟三百米四百米下部的简
短动作带着喃喃声小小的颤动在淤泥的浮面一
米两米我那么活跃只剩下字词一声喃喃越来越
远

那么多的字词那么多的丢失三分之一五分之二

声音随后意思相同的比例或者没有任何比例我听到一起明白一切我重新经历已经重新经历我不说在那上面在光芒中在阴影当中寻找阴影我说这里**你在这里的生活**总之我的嗓音不然就什么都没有于是什么都没有不然就是我的嗓音于是是我的嗓音那么多的字词从一头到一头一声喃喃如同什么呢第一个例子

如同什么它离我而去如同别的然后什么都没有什么都没有然后波姆跟波姆一起的生活老词从远方返回某一些他抓住他在我的左边右胳膊搂住我左手伸进口袋在我的手中耳朵贴着我的嘴我在上面下方的生活旧生活中的几个腐朽的老头天空不朽者早晨带来晚上其他人的名字时间的划分一些常见的花朵夜晚总是太明亮无论人们怎么说确切的地点连续的地狱般的家他将始终有我一些时刻很低自愿长期的瘟疫没让我们完结然后唉独自一个如同一只老鼠从头到脚在黑暗中淤泥中

或者如同什么第二个例子没有皮姆没有波姆只是我一人独自一个嗓音我的嗓音它离开我又返回到我身上跟我在一起或者最终在火底下第三个和最后一个例子在理想的观察家的火底下淤泥突然动弹起来周围的一切下面的一切舌头喷

涌而出粉红色一瞬间里带有一丝珍珠般的垂涎随后突然是一条直线紧闭的嘴唇不再有带黏膜的齿龈的痕迹人们猜想是从一个嘴角呈拱形地紧闭到另一嘴角他什么都没有猜疑但是我经过的是什么地方随后突然从此自从自从那之后我要去哪里继而之后之间但是首先快快地结束共同生活最终结束第二部分最后只剩最后一个部分

你在这里的生活长久的时刻**你在这里的生活**深深地长久的时刻这一死去的灵魂多么可怕我可以为我想象你的生活未完成因为喃喃光芒光芒白天和黑夜的小小的场景**在这里**直到流血某个人跪着或蹲着在一个阴暗角落中小小场景的开端在半昏暗中**在这里在这里**直到骨头指甲弄碎很快另一个在垄沟中**在这里在这里**呐喊脑袋瓜上一击整个的脸在淤泥中嘴巴鼻子没有了喘息和呐喊还从来没有看到过这个他在这里的生活在黑色空气中在淤泥中的呐喊无法窒息的老小孩很好让我们再开始**在这里在这里**直到耳膜呐喊这是可喝的好几个学年没有数字直到最后很好看见了在这里的生活这一生活他不能够

一些问题**你爱我吗傻瓜**这一针锋相对为完结的家庭我们最终在此假如他回忆起来的话如何来

到不是的一天他处在那里是的如同当人们出生是的假如人们愿意的话是的假如他知道一共有多少不是的任何一个想法都不是假如他回忆起来的话如何生活不是的始终生活得这样是的躺在淤泥中是的黑暗中是的跟他的口袋一起是的

从来没有一丝微光不是的从来没有一个人不是的从来没有嗓音不是的我第一个人是的从来不动不爬几米不是的不吃有一段时间**吃的**很深很深不是假如他知道口袋中有什么不是的从来没有好奇心不是的他是不是认为有一天会死去某一时刻**有一天要死去**不是的

生来就不是为了任何人的我为他所做的活跃不太确信是的从来没感觉到他的肌肤另外的一种肌肤不是幸福不是不幸不是的假如他感觉到我在他身边不仅仅当我牺牲掉他时是的

他是不是喜欢唱歌不是的但有时候他也唱歌是的总是同一首歌一段时间**同一首歌**是的他是不是看到一些东西是的经常吗不是的小小的场景是的在光明中是的但是不太经常不是的就仿佛这要点亮一下是的就如同是的

天和地是的到处打听新鲜事的人们是的他在那

123

里某个地方是的蜷缩在某个地方是的就仿佛淤泥会张开或者会变得透明是的但是不太经常不太时间不太长不太要不就是黑色的是的他把这叫作在上面的生活是的作为与这里的生活的对应一段时间**在这里**呐喊很好

这不是一些回忆不是的他没有回忆没有的他并没有在上面待过并没有在他看到的那些地方不是的但是他也许在那里待过是的蜷缩在某个地方是的夜里贴着墙根是的他无法肯定什么不能够人什么不能于是人们不能说是回忆不能但是人们毕竟还可以谈论是的

他是不是在心里说不是的在想不是的相信上帝是的每一天不是的希望死去是的但是不抱期望不是的他希望留在那里是的在黑暗中是的淤泥中是的扁扁的像一枚图钉是的没有运动是的没有思想是的永远如此是的

他是不是确信他说的话不是的他什么都无法肯定不能他可能忘记了很多事情不是的某些小小的事情是的很少的一些是的仿佛已经攀爬过一点点是的吃过一点点是的想过一点点喃喃了一点点为他独自一人是的听到一个人类的嗓音不是的他也许忘记了这个不是的在我之前抚摸过

一个兄弟不是的他是不会忘记这个的不是的

他是不是想让我把他留下是的在宁静中是的没有我这就是宁静是的这曾是宁静是的每一天不是的他是不是以为我会把他留下不是的我要留在那里是的紧紧贴在他身上是的牺牲他是的永远地是的

但是他什么都不能肯定不能否定不能这可以以另外的样子发生是的他在这里的生活一段时间他在这里的生活可以以另外的样子发生一段时间**他在这里的生活**很深在垄沟中呐喊脑袋瓜上来一击脸埋在淤泥中鼻子嘴巴呐喊在淤泥中好的看见了他不能够

那上面这点亮小小的场景在淤泥中或者古老的回忆中字词他为宁静而找到它们**在这里**呐喊这一生活他不能够或者不再能够他曾能够如何曾是在另一个之前跟另一个一起在另一个之后在我之前很少一点点所有这一切我都可以说我怎么听到的就怎么相信并以其教育性的例子说出为了完结很低对淤泥快点快点不久就没我了没皮姆了从来没有过从来没有任何东西这一点点快点这一点点留下来的快点补上在波姆之前在他前来问我之前曾是如何我在这里的生活在他

之前只留下了一点点快点补上曾是如何皮姆之后波姆之前是如何的

快点最终是第二部分的结尾曾是如何跟皮姆在一起最终只剩下第三和最后部分曾是如何在皮姆之后波姆之前是如何我怎么听到的怎么说了有一天所有这一切每一个词总是如我在曾在外的内心中听到的那样嘎嘎我们所有人的嗓音当它停止喘气时而在淤泥中的喃喃对淤泥有一天回到我自己回到皮姆为什么人们不知道人们不说什么都不回来什么都不惊奇地发现独自一人不再有皮姆只有我一个人在黑暗中淤泥中终于是第二部分的结尾曾是如何跟皮姆在一起最后只剩下第三和最后部分曾是如何在皮姆之后波姆之前是如何的这就是跟皮姆在一起曾是如何的

3

这里我始终援引第三部分在皮姆之后曾是如何第三和最后部分最终是如何走向它时比空气更轻盈一瞬间里扑通一声重新倒下那么多的祝愿叹息无言的祈祷从第一个词开始我听到了它那个词如何

没有时间了我怎么听到的就怎么说在淤泥中喃喃我压低再压低这样说得太多了没有头脑了想象到了头没有气息了

巨大的过去甚至最近甚至远方很老的老人们年老的今天或者还是蜂鸟说过去的瞬间所有这一切

巨大的过去蜂鸟它从左边来人们目随着它迅疾地飞半圈顺时针方向然后暂缓然后下一次然后然后或者人们更喜欢闭上眼睛低下脑袋或者不

是的在暴风雨底下小小的白色美好的时刻简短的黑色然后嗡嗡嗡下一次所有这一切

所有这一切几乎白色得到如此点饰一些痕迹就这些既然谁我总是多多少少一点点东西那里很少但是在那里很少但是在那里被迫

在皮姆之前远远之前和皮姆一起一些很长的时间各种各样的思想同一家庭各色各样的怀疑激情甚至哭泣还有运动活动整体中那么多的部分就如同他走掉寻找一切真正的家

那里多多少少算过去更多是往昔而非最近所有那些最近时刻那是相当近的最近几乎没有几秒钟这里那里的都有标志一种生活许多花样到处都是一些十字架抹不掉的痕迹

所有这一切几乎白色没有什么需要突出的几乎没有没有什么要强调的正是这样最为忧伤的也许就是这个衰退的想象力落到了最低处被人们称为下降人们试图

或者上升到天上最终那里实际上

或者最终一动也不动这要取决于情况的不同一

半在淤泥下一半在外面

没有了头脑总而言之几乎不再有没有心灵了仅仅只有一点点让人们感到满足一点点的满足存在那么少在那里下降一点点最后留在最低处

一点点的开心人们越不在那里就越开心当人们在那里时就少一点哭泣少了一点点当人们在那里时字词就缺少几乎一切都缺少少了哭泣没了字词没了食粮甚至连诞生它也缺少所有这一切它让人开心它应该是这样所有这一切稍稍更开心

曾是如何它缺少在皮姆之前和皮姆一起全部丢失几乎全部什么都没有了几乎没有了幸运的是还是做的还剩下了之后是如何的在皮姆之后一段很长的时间和皮姆一起在皮姆之前一些很长的时间几分钟一会儿这里一会儿那里增补的巨大的永恒同一次序同一大小里面什么都没有几乎没有

揪紧眼睛我援引始终不是蓝色其他的另一些在后面看到某个东西在某个地方在皮姆之后只剩下这个脑袋中的喘息只剩下一个脑袋里面什么都没有几乎没有只有喘息咳咳一分钟一百次控

制住它让他自我控制住十秒钟十五秒钟听到某种东西努力听到某一些老词在皮姆之后曾是如何现在是如何快点

皮姆快点在皮姆之后在他把自己抹掉之前从来就只有我我皮姆曾是如何在我之前跟我在一起在我之后现在是如何快点

一个口袋早早地淤泥的颜色在淤泥中快点就说这是一个口袋中间色彩他娶了她总是跟她在一起非此即彼并不寻找别的东西这可能会是的别的什么东西那么多的东西说到口袋这是个旧词了第一个来到的词尾有一个音节c并不寻找别的东西一切都会被抹却一个口袋这将行词儿东西它在可能的东西中在这并不那么可能的世界中是的世界人们还能更多地希望什么呢一件可能的东西看见它命名它命名它看见它够了休息我会再回来的被迫有一天

停止喘气说说人们听到的看到它一条淤泥颜色的胳膊从口袋中出来快点说一条胳膊然后是另一条说另一条胳膊看见它僵硬地伸着像是太短了无法够到这一次加上一只手手指头伸开分着岔手指甲魔鬼说看见了所有这一切

一个躯体何等的重要性说一个躯体看到一个躯
体整个的反面本来一片白留了一些浅色的斑点
灰色头发它们还在长够了一个脑袋说一个脑袋
看见了一个脑袋看见了一切可能的一切一个口
袋一些生活用品整整一个还活着的躯体是的还
活着停止喘气它停止了喘气十秒钟十五秒钟听
到这一气息生命的保障听到了它说了说了听到
了它好的喘息得更厉害了

越来越远地仿佛随风而飘但是没有一丝气息干
脆而又微弱上帝的小掸板老磨嗡嗡地空转或者
按照脾性仿佛它已经改变老黑女人的大剪刀比
这世界还更老喀哩喀啦喀哩喀啦每秒钟两根线
每两秒钟五根线从来没有我的

就是这些我将什么都不再听到什么都不再看到
假如为了结束还要一些老词的话那么就得还有
些不那么老的词稍稍只是皮姆时期的第二部分
结束那一些从来没有过但是很老一段很长的时
间这一嗓音这些嗓音如同随乱风乱舞但是没有
一丝气息另外一种古老稍稍更新近一些停止喘
气愿它停止十秒钟十五秒钟某些老词东一点西
一点把它们加上彼此相加完成句子

一些古老的形象总是同一些不再有蓝色完结了

蓝色从来没有过口袋胳膊身体淤泥黑暗头发和指甲还活着所有这一切

我的嗓音假如人们愿意的话最终回来了一种回来了的嗓音最终到了我的嘴里我的嘴假如人们愿意一种嗓音在黑暗中淤泥中人们没有这些持续的概念

这一气息控制住它让它自己控制住一次两次通过白天和黑夜对他们而言需要的时间在之下和之上以及周围地球转动一切转动他们从一个目标跑向另一个目标而要是没有这声气息我相信能听见他们的脚步控制住它让它自己控制住十秒钟十五秒钟试图听见

对这古老的故事嘎嘎从各处到我内心一些碎片努力听到一些碎片两片三片每次通过白天和黑夜把它们加进去彼此相加完成句子别的句子最后的曾是如何在皮姆之后是如何里头有什么东西不对头第三和最后部分的结束

这一嗓音这些嗓音如何知道它并不是一种合唱而是一种独唱而是嘎嘎这就是说来自各处高音喇叭可能是技术但是要小心

小心从来没有两次是同一个嗓音或者是因为时间很长的时间变老了认不出来了不是的因为常常之后比之前更新鲜更有力除非得了病遭遇不幸偶尔这也会人们往往更好之后比之前少一些痛苦

或者在胶木盘上或者类似物体上录音好几代人的整整一种生活在胶木盘上人们可以想象没有什么能妨碍你们这样做混淆改变自然顺序跟它游戏

或者最终同一个和我我的错缺少注意力记忆力各个时代混淆在了我的头脑中所有的时代之前其间之后很长的时间

总是同样的东西同一些东西可能的不可能的或者只找到这些东西的我当它停止喘气时我只听到这个同样的一些东西四个五个一些点饰上面的生活小小的场景

对我它说了这些关于我对哪一个别的关于哪一个别的揪紧眼睛努力看到另一个对谁关于谁对谁关于我关于谁对我或者还有第三个人揪紧眼睛努力看到一个第三者混淆所有这一切

嘎嘎我们所有人的嗓音什么所有人所有那些在我之前在这里的人该来的人在这一污秽中的孤独者或者彼此紧贴的人所有的皮姆刽子手晋级者过去的牺牲者假如万一这要过去的话还有未来的这是肯定的只需要决不垮掉大地它的光芒所有这些人

我一直抓住依然抓住的它只留下了不多的东西我就抓住这不多的东西曾是如何在皮姆之前和皮姆一起在皮姆之后一直到是如何对它也一样它能找到字词

至于会是如何当我不再有它时在拥有我自己的嗓音之前这一宽大的洞当我最终有了它的时候这宽大的空白那会是如何当我会有我自己的嗓音时当我不再有它时那时候会是如何

因为不能够我不得不说妈妈我的爱的时候听到那些声音欺骗我嘴唇的干渴字词就从我的唇音开始那时候还有随后一段时间一段很长的时间

脸下部的无谓动作没有任何声音没有任何字词然后甚至再没有必要再不用对此抱有期望当这是唯一的希望寻找别的东西那么会是如何对此有一些字词

关于它所有这一切关于这留下来的那么少的一点点东西我命名了我自己它停止喘气一时间里我就是这古老的一点点总是少一点我相信听到了一个古老的嗓音嘎嘎对我们所有人只要我们曾经存在过并能很好地结束里头有什么东西不对头

就是说按照快乐的等级它能在大地上做得更多从黄金时代起那上面在光芒中树叶落下枯死

其中有一些飘扬在树枝上直到新生黑色的枯死的披挂在绿色的愚蠢中有一些处于这一状态中两个春季一个夏天又半个四分之三

在皮姆之前旅行第一部分右腿右胳膊又推又拉十米十五米歇息总之总和一条沙丁鱼或者类似物舌头在淤泥中一些形象哑默的字词不倒下重新出发又推又拉所有这一切第一部分在皮姆之前但是之前

另一个故事留在阴影中不是同一个故事不是两个故事留在阴影中毕竟如同其他稍稍多一些某些词毕竟几个古老的词如同在其他之上停止喘气愿它停止

努力听到几个古老的词东一点西一点把他们贴在一起一个句子一些句子努力看到这是如何可能存在的不是在皮姆之前这已经做了第一部分在这之前还有一段很长的时间

两只人们是把两只手放在我的屁股上骑马一般人们来到本姆蓬姆一个音节最后带着一个 m 其余也一样本姆来到黏在我身上后来看到皮姆和我我来到黏在皮姆身上同样的事情除非我皮姆本姆我本姆在左边我在右边在南边

本姆来到黏在我身上就在我躺倒被遗弃的地方给我一个名字他的名字给我另外一种生活让我谈到一种在上面的生活我在倒下之前本来应该在光芒中有过它曾经存在说到过的一切一个第二部分一个第二个第二部分在第一部分之前除非我皮姆本姆我本姆在左边我在右边在南边我听到它淤泥中的喃喃声

于是在一起共同的生活我本姆他本姆我们本姆一段很长的时间一直到那天听到它重复它喃喃地念叨它没有羞耻如同有一个地球一个太阳一些时候天不那么黑天更加黑那里笑声

黑暗明亮那些词每一次他们来到黑夜白天阴影光明这一家族真想大笑每一次哦不好几次十次中有三次十五次中有四次这一比例尝试它几次同样的比例来到好几次同样的比例

明亮黑暗这一家族在一百次当中它们来到三次四次大笑成功那些人震撼一阵子复活一阵子然后留下比以前更为死气沉沉

直到那一天喃喃念叨它不觉羞耻不会发笑而在惊奇之下还有某种东西本姆独自一人在黑暗中淤泥中对他来说这一部分结束对我来说也是如此我也惊奇不已里头有什么东西不对头离我远去右腿右胳膊又推又拉十米十五米走向皮姆长长的长长的旅行

遗忘一切丢失一切的时刻不知道我从哪里来又要去哪里频繁的喘气简单的总和一条沙丁鱼舌头在淤泥中如此宝贵地赢得的话语的重新丢失某些形象天空家园小小的场景半坠落在种类之外脸下部的简短动作没有任何声音本姆的漂亮名字的丢失第一部分在皮姆之前曾是如何一段很长的时间已经做了

已经来了已经说了淤泥中的喃喃曾是如何不是

在皮姆之前这已经做了第一部分在这之前还是一段很长的时间很漂亮只是不是这样的这不行里头有什么东西不对头

口袋这是口袋皮姆走了没带口袋他把口袋留给了我于是我把我的口袋留给了本姆我将把我的口袋留给波姆我会不带口袋地离开波姆我已经不带口袋地离开了本姆走向了皮姆这是口袋

本姆于是我跟本姆在一起在走向皮姆之前于是我不带口袋地离开了本姆然而这个口袋是我走向皮姆的时候有过的第一部分这个我有过的口袋

我离开本姆时所没有的而走向皮姆时我曾有过的这个口袋但我不知道自己离开了某个人又走向了某个人我曾有过的这个口袋我曾经发现它的存在理由它留在了我这里这个口袋而要是没有它的话就没有旅行

一个口袋必须要有的一些生活用品当人们旅行时我们看到了它应该看到了第一部分必须要有的这是规定我们就这样听从规定

于是不带口袋就出发我有过一个口袋我在路上

找到它的这就是被排除了的困难我们把我们的口袋留给了那些不需要它们的人我们从那些将需要口袋的人手中拿走口袋我们不带口袋地出发我们将会找到一个的我们可以旅行

一个口袋假如人们死在这里人们就会说这是一个死人在最要紧的时刻最终松开他然后消失在淤泥底下但是既然不是一个简单的口袋摸起来没有别的什么感觉一个小小的装煤炭的口袋五十公斤装的黄麻布的潮湿的生活用品在里面

一个简单的口袋没有什么别的只是出发时没有生活用品既没有找它一个的想法也没有曾经有过它一个的记忆也没有需要它一个的概念我们刚刚出发就发现了它在黑暗中淤泥中一次不带口袋的简短旅行这也不是一段很长的时间我们出发不久就到达了带着没有用过的生活用品我们看见了它第一部分曾是如何在皮姆之前

这里的口袋要比人们远远多得多无限地多假如我们无限地旅行而何等无限地失去却没有收获这就是这一被排除了的困难里头有什么东西不对头

在我离开本姆的那一刻另一个人离开了皮姆假

如在这精确的一刻我们一共有十万人那么五万人出发五万人被抛弃没有太阳没有地球没有任何东西在同一刻旋转始终到处

在我与皮姆会合的那一刻另一个人与本姆相会合了我们就这样解决了我们的正义需要如此在同一时刻重新构成五万对人到处都一样被同样的种类分散这是数学这是我们的正义在这一烂泥中一切都一样道路步态右腿右胳膊又推又拉

另一个同本姆跟我同皮姆一样待的时间一样长十万个躺着的人两个两个地粘在一起一段很长的时间没有任何东西在动除了边上的刽子手那些人越来越远地绕着圆圈一条右胳膊挠着胳肢窝为了歌曲刻下铭文插入开罐头刀捶打腰身所有必需的

在皮姆离开我走向另一个人的那一刻本姆也离开了另一个人而走向我我站在了我的观点上蛆虫淤泥的迁移或者排队上茅厕癫狂分裂生殖欣喜若狂的那些日子

皮姆与另一个人会合并跟他重新构成唯一的一对的那一刻他跟他一起构成跟我一起构成本姆则跟我会合跟我一起重新构成唯一的一对他跟

他一起构成跟另一个人一起构成

这里的启示本姆于是就是波姆或者波姆即本姆
而嗓音嘎嘎我从中把握我的生活我心中的那些
生活碎片当它停止喘气时三种东西有一种

按照我它说本姆谈到曾是如何的地方那在旅行
之前第一部分而波姆谈到将是如何的地方是在
抛弃之后第三和最后部分它说实际上

它说实际上在一种情况下如同在另一情况下或
是唯独本姆一个或是唯独波姆一个

或者它说实际上一会儿本姆一会儿波姆出于马
虎或者疏忽以为没什么区别我把它拟人化了它
拟人化了

或者最终它故意地从一个转到了另一个按照它
讲的是曾是如何在旅行之前或是将是如何在抛
弃之后而并没有明白到本姆和波姆只能够构成
一个

人们没必要祝贺他在各种新的外表下成为它向
我宣告其到达的那个人右腿右胳膊又推又拉十
米十五米

它对我说的完全可能是另外一个那个旧的我曾经忍受他然后离开他前去走向皮姆如同皮姆对我从忍受到离开前去走向他的属于他的另一个

要说不是不知道所有这里全都不知道我们的正义走开了从来就是离开走向从来就是走向

不知道每个人总是离开同一个总是走向同一个总是失去同一个前去走向那个离开他的人而离开那个前来走向他的人我们的公正

几百万几百万我们有几百万我们有三个我站在我的观点上本姆是波姆波姆即本姆不妨说波姆最好还是波姆于是我和皮姆在其中

因此在我心中我始终援引当它停止喘气时这一古老嗓音的碎片对于它它的口误它的确切对于我们我们几百万我们有三对旅行与抛弃关于我我独自始终援引我的想象中的旅行想象中的兄弟当曾经在外的它在心中停止喘气时嘎嘎到处都是碎片我喃喃念叨它们

一个嗓音假如我有一个嗓音我可以相信我自己的嗓音在我听到它的时候我始终援引也听到它

波姆前来走向我时离开的那一位还有皮姆离开我而前去寻找的那一位假如我们有一百万人的话现在就是 499997 对人其他的被抛弃了

同一个嗓音同样的带专有名词的东西差不多还是两个足够每一个都等待无名他的波姆走向无名他的皮姆

波姆被抛弃不是我波姆你波姆我们波姆但是我波姆你皮姆我被抛弃不是我皮姆你皮姆我们皮姆但是我波姆你皮姆那里有什么东西根本不对头

这样永恒地我援引始终那里有什么东西跳走了这样永恒地一会儿波姆一会儿皮姆按照人们是在左边还是在右边是在北边还是在南边是刽子手还是牺牲者这些词过于强烈了刽子手始终是同一牺牲者的始终是同一位的一会儿独自一人旅行者被抛弃的人独自一人没有名字所有这些词过于强烈几乎所有稍稍太强烈了我怎么听到的就怎么说

或者唯一的唯一的名字漂亮的名字皮姆我听得不清楚或者嗓音说得不清楚我听到波姆或者它在我的心中说到波姆当它停止喘气时碎片波姆

在外面时嘎嘎从四处传来

我听到或者它确实说了的地方在前去走向皮姆之前第一部分我跟波姆在一起就如同第二部分皮姆跟我在一起

或者在眼下这时候第三部分右腿右胳膊又推又拉波姆走向我如同我走向皮姆第一部分

是皮姆必须听到皮姆必须说我跟皮姆在一起在前去走向皮姆之前第一部分而眼下这时候第三部分皮姆走向我就如同我走向皮姆第一部分右腿右胳膊又推又拉十米十五米

于是一百万假如我们是一百万一百万个皮姆一会儿纹丝不动两两相对地黏在一起以便过于强烈的折磨的需要五十万个小堆淤泥的颜色一会儿又是一百万个孤独者没有名字半被人抛弃半抛弃别人

三个假如我们是三个当在我心中当它停止喘气时这一曾在外面的嗓音到处传来的嘎嘎当我听到这一嗓音说到一百万说到三个假如我有一个嗓音的话我会援引一些心一些头脑我也许会相信我的嗓音唯一被抛弃我是唯一听到它的人

唯一喃喃念叨几百万三个我们的旅行结对与抛弃我们彼此给予并一再给予的名字

所有这些碎片只有一个人能听到它们只有一个人喃喃念叨它们在淤泥中在淤泥里我的两个同伴我们看到他正在走路那个前来走向我的人和那个走开的人里头有什么东西不对头就是说每个人都在他的第一部分中

或者在他的第五或者在他的第九或者在他的第十三依此类推

这很公正

那么噪音我们看见了他第三或者第七或者第十一或者第十五的特权依此类推全都作为第二或者第四或者第六或者第八的一对依此类推

这很公正

只要更喜欢在这里给出的顺序要知道首先旅行然后结对最后抛弃对人们也许将获得的那个人对那些人开始是抛弃以便进入旅行后来经过结对或者一开始通过结对后来进入到

结对

其间经过抛弃

或者经过旅行

这很公正

里头有什么东西不对头

假如正相反我是独自一人就有更多的问题解决办法而如果没有一种严肃的想象力的努力似乎就很难避免

如同什么比方说我们的行程一段封闭的曲线在其中我们披挂着从 1 到 1000000 的号码而 1000000 号在离开它的刽子手 999999 号的同时并没有投身到荒野之中走向一个并不存在的牺牲者而是走向 1 号

在这其中 1 号被它的牺牲者 2 号丢弃却并没有永恒地丧失刽子手因为这后者我们已经在 1000000 本身中看到了它正迈着最美的步伐来到右腿右胳膊又推又拉十米十五米

而三个假如我们只有三个只披挂着从 1 到 3 的号码还是四个吧这样更好人们会看得更明白假如我们只是四个的话并只是披挂着从 1 到 4 的号码

于是在最大的那条绳子的两端只有两个位子即 a 和 b 对四个对子而言四个被抛弃者

只有半个轨道的两条轨迹每条都是怎么说呢 ab 和 ba 对旅行者而言

比方说我吧我挂着 1 号这当然很正常在规定的某一刻我发现自己被抛弃在了 a 点在大绳子的顶头而假设人们是在顺时针方向地转圈

于是在我重新位于同一点并明显地处在同一状态之前我将连续地成为

4 号的牺牲者在 a 点作 ab 线的旅行中 2 号的刽子手在 b 点重新被抛弃但这一次是在 b 点重新成为 4 号的牺牲者但这一次是在 b 点重新作旅行但这一次是在 ba 线上重新成为 2 号的刽子手但这一次是在 a 点最后重新被抛弃在 a 点然后重新开始

这很公正

于是对我们中的每一个来说假如我们是四个的话在重新回到原始位子之前有两次抛弃两次旅行四次结对其中两次在左边作为刽子手对我来说总是同一个2号两次在右边作为牺牲者对我来说总是同一个4号

至于3号我不认识他当然他也不认识我就如同2号跟4号彼此不认识那样

于是对我们中的每一个来说假如我们是四个的话我们中有一个始终是不认识的或者人们只是有所耳闻而已这还是可能的

而我我接触4号和2号分别地作为牺牲者和刽子手而2号和4号则接触3号分别地作为刽子手和牺牲者

原则上有这样的可能对3号一方面通过我的牺牲者而他也是后者的牺牲者另一方面通过我的刽子手而他也是后者的刽子手于是有这样的可能我重复我援引对3号我并不完全是陌生的尽管我们从来没有机会彼此相遇

同样地假如我们有一百万我们中的每一人只能亲身认识他的刽子手和他的牺牲者也即直接位于他之后的那一个以及直接位于他之前的那一个

他只是被他们亲身认识

但是从原则上他很有可能通过耳闻而了解其他的 999997 人通过他自己在大圆圈中的位子他永远也不会有机会遇到

通过耳闻而为他们所了解

让我们以二十个连续的号为例子

但是随便哪一些号随便哪一些号这都是无所谓的

从 814326 号到 814345 号

814327 号可以谈到这词用得不确切既然刽子手都是哑巴我们见到过第二部分对 814328 号谈到 814326 号而 814328 号又可以对 814329 号谈到前一号而 814329 号又可以对 814330 号

谈到前一号依此类推直到814345号后者以这一方式可以通过耳闻了解814326号

同样地814326号可以通过耳闻了解到814345号 814344号后者跟814343号说后者又对814342号说后者又对814341号说依此类推一直到814326号以这样的方式可以通过耳闻来认识814345号

在两个方向上流言可以一直传播到无限

从左到右通过从刽子手到牺牲者的密言一再地重复

从右到左通过从牺牲者到刽子手的密言一再地重复

所有这些词我重复我还援引牺牲者刽子手密言重复援引我以及其他人所有这些词过于强烈我还是怎么听到的就还是怎么说还是喃喃念叨在淤泥中独自无限在我们的范围内

但是问题有什么用

因为假如814336号对814335号描绘了814337

号并对814337号描绘了814335号归根结底他只是做了一番对自己的自我描绘就像他的两位对话者向来所了解的那样

那么有什么用

再说这事情似乎不太可能

因为814336号我们已经见过他在他很久以前到达814337号身边的时候他对814335号已经不知道任何东西了就仿佛他从来没有存在过似的而814335号到达他的身边我们也是在很久之前见到的他已经不知道814337号的任何东西了一段很长的时间

有一点是真的人们只是在忍受的时候才认识自己的刽子手在享乐的时候才认识自己的牺牲者而还有

这些永远在这一巨大的进程中从头到尾重新组成的对子总是在它的第一百万次这被构想为如同在无法构想的第一次两个陌生人为了折磨的需要而结合起来

当在不可预见的屁股上摸索不已的手第一百万

次停在上面对那只手来说那是第一批屁股而对那些屁股来说那是第一只手

里头有什么东西不对头

所有所有这一切它停止喘气我听见它我喃喃念叨它在淤泥中所有这一切全是真的

并不认识第二只手至于另一只所谓通过频繁接触而个人赢得的一方面是他的刽子手另一方面是他的牺牲者的那只整个一体每一个都拥有至于那一只

当人们梦见我们所构成的对子时皮姆和我第二部分而我们将重新做出第六部分第十第十四依此类推每一次都作为不可想象的第一次当人们梦见

我们曾经所是的那时候每人为自己一个为另一个

粘在一起只构成一个躯体在黑暗中淤泥中

如同每时每刻人们都停止不再在那里既不为自己也不为另一个很长的时间

当人们返回又一起度过一段时刻当人们梦见

痛苦残酷那么细小那么简短

小小的需要一种生活一种嗓音需要那既没有这也没有那的人

强迫的嗓音一些词生活因为它喊叫这是证明只需要深入进去深深地一记小小的叫喊一切和没有都死去人们喝人们给喝的晚上好

这是我援引一些好时候好时候的某个地方当人们梦见

皮姆和我第二部分而波姆和我第四部分这将会是什么

说是在这之后人们彼此个别地认识甚至就在这一时刻

彼此黏在一起只形成一个唯一的躯体在黑暗中淤泥中

待在一边不动右胳膊简短地舞动越来越远所有

必需的

说是在这之后我认识了皮姆而皮姆也认识了我
而波姆和我我们将彼此认识即便只是转瞬即逝

人们可以这样说如同人们可以说不是的这要根
据人们所听到的不同

不是的我很遗憾这里没有任何人认识任何人既
不亲自也不以其他方式出来的话都是否定的我
喃喃念叨它

仍然不是的我仍然很遗憾这里没有任何人认识
自己这是没有知识的地方毫无疑问正是这一点
构成了它的宁静

就让我们一直地绕圆圈吧我们会是四个或者一
百万我们是四个不认识我们自己是一百万不认
识我们自己是这些还是那些而每人都是自己我
援引始终我们并不绕圆圈

那是在上面在光芒中那里的空间对他们绰绰有
余这里是直线直线通向东边无论我们是四个还
是一百万个直线通向东边这很奇怪而在西边普
遍的死亡

于是既非四个也非一百万

既非一千万也非两千万也非任何确定的数字偶数或者奇数无论它有多么高因为我们公正要求的是没有任何人哪怕我们有两千万我们之中没有任何一个人失宠

没有任何一人被剥夺刽子手就像 1 号可能会遭遇的那样没有任何一人被剥夺牺牲者就像 20000000 号可能会遭遇的那样假设这最后一位处于不断移动中的进程的头里我们看见了他从左边到右边或者假如人们愿意的话从西边到东边

而且从来就不能落在那人的目光中

那人

那个装备了一些口袋的人

很可能

在他的目光中这场景一方面是我们当中的唯一一人从来没有任何人走向过他而另一方面另外

的唯一一人他从来就不走向别的人那将会是一种不公正那是在上面在光芒中

说得明白些我援引或者我是独自一人而这就没有问题或者我们人数多得不计其数而这也没有问题

除了那个人能够代表自己但是这应该能够构成一个进程直线的既无尾巴又无开头在黑暗中淤泥中带着它所包含的一切多种多样的无限性

无论如何人们对此无能为力人们处在公正之中我从来没有听说过相反的话

这样带着一种极其缓慢的速度进程人们现在说到一种进程一跳一跳地或者一冲一冲地以拉屎的方式问自己最开心的日子里我们最终将是不是一个在另一个之后结束或者两个两个地结束被拉到自由的空气中到白日的光线中在恩惠的制度中

缓慢只有任意的数字才能给出它一个微弱的概念

数出我援引二十年用于旅行而且另一方面知道

听到过它通过那四个阶段我们经历了两种形式的孤独两种形式的陪伴在这些阶段中刽子手被弃者牺牲者旅行者我们经过并再经过如此地有规律持续的时间也相同

另一方面总是通过同样的好处知道旅行由各个阶段构成十米十五米有道理不妨说很合情理每月一个阶段这个词这些词月份年份我喃喃念叨

二十除以四一千二百除以九十二点五二万三千除以五十除以八十每年三十七点五三十七到三十八米我们向前

这很公正

从左到右我们向前每个人都在前进整体也前进从西到东年复一年在黑暗中淤泥中折磨孤独速度在三十七到三十八之间不妨说每年四十米

这就是由这些数字给出的关于我们的缓慢的微弱概念只要接受它就成它应该能够自我构成一方面那个专门持续旅行的人另一方面那些表达了旅行的缓慢和频繁的人们能够构成一个有关我们的缓慢的微弱概念

我们的缓慢我们进程的缓慢从左到东在黑暗中
淤泥中

看那形象在其不连贯之中那些旅行它便是总和
由各阶段各次歇息构成而这些阶段旅行便是其
总和

我们在其中攀爬侧对步右腿右胳膊又推又拉肚
皮贴地默默诅咒左腿左胳膊又推又拉肚皮贴地
默默诅咒十米十五米歇息

所有这一切曾在外面的嘎嘎从四处传来到我的
心中当它停止喘气时所有这一切所有这一切更
加低沉更加微弱但是能听见不那么清楚但是意
思进入了我的心中当它停止喘气时

说实话这里的一切都不连贯旅行形象折磨甚至
还有孤独第三部分中一个嗓音在说然后又缄默
一些碎片然后什么都没有了只有黑暗淤泥一切
都不连贯除了黑暗淤泥

对这一嗓音的形象本身十个词十五个词长久的
沉默十个词十五个词长久的沉默长久的孤独一
开始在外面嘎嘎从四处传来一段很长的时间然
后在我的心中当它停止喘气时碎片

对它我是抓住了一切曾是如何在皮姆之前还是在此之前和皮姆一起在皮姆之后是如何同样有些词用于这个将是如何有些词用于这个总之我的生活很长的时间

我听说我还是在喃喃在淤泥中我还存在着

我在黑暗中淤泥中作的旅行走的是直线口袋挂在脖子上从来不绝望完全彻底我做了这一旅行

然后是别的东西我并没有做然后重新我重新做了它

而皮姆既然我找到了他让他受苦让他说话失去了所有这一切只要这一切还在持续我曾有过这一切当它停止喘气时

而既然我们是三个四个一百万个而我在那里始终就在那里跟皮姆波姆另一个在一起跟999997个其他人在一起旅行只有一个停滞只有一个牺牲为牺牲哦谦虚地悄悄地一点点的血几声叫喊几个词那上面的生活在光芒中一点点的蓝色小小的场景给予干渴给予和平

既然我们只能够有四个一百万个而我在那里始
终就在那里跟皮姆波姆不计其数的其他人在一
个既无开端又无结尾的进程中懒洋洋地移动从
左到右走直线走向东方这很怪异在黑暗中淤泥
中三明治似的夹在刽子手和牺牲者中间这些词
并不很微弱绝大多数并不完全那样

或者唯独一人而再没有什么问题从来没有过关
于皮姆从来没有过关于波姆从来没有过关于旅
行只有黑暗淤泥口袋也许它也显得很恒常而这
一并不知道自己在说什么或者我听不太清楚的
嗓音假如我有一个嗓音的话一点点的头脑一点
点的心我可能会相信我的嗓音开始在外面嘎嘎
从四处传来然后在内心当它停止喘气时现在很
低沉仅仅是一声叹息

所有这一切所有这一切只要这些还在持续所有
这些形式的生活当它停止喘气时我曾有过这一
切按照人们听说的样子认识所有这一切做成的
和受苦的按照是在现在还是在将来这是肯定的
只需要听到就行当它停止喘气时十秒钟十五秒
钟所有这些形式的生活一些碎片淤泥中的喃喃

既然最终现在它喘气得更厉害了越来越厉害了
这动物还想要空气还要止住它还要让它停止一

种如此的喘气这一嗓音还听到了它曾在外面嘎嘎从四处传来一些碎片还在我心中当它停止喘气时仿佛那无疑很快就将不再可能

在那个时候我援引总是从这一点出发那个时候以及此后只有这一嗓音这些碎片我最终将什么都不是但是并不为一点点小事而停止第三和最后部分的结尾它应该是几乎结束了

这个是的在黑暗中淤泥中的一声喘气对于这个这进行到底旅行结对抛弃在其中一切都讲述了出来人们可能有过随后又失去的刽子手人们可能做过的旅行人们可能有过随后又失去的牺牲者形象口袋小小的在上面生活的故事小小的场景一点点的蓝色地狱般的家

嗓音嘎嘎从四处传来然后在内心中在小小的拱顶下在小小的空荡荡的紧闭的地窖中八面体一种白骨般的煞白假如有什么光线一簇火焰的话一切就会变得发白十个词十五个词如同一番游荡当它停止喘气时然后风暴气息生活的保障第三和最后部分它应该是几乎结束了

人们自有自己的生活人们曾经有过它重大的旅行陪伴自己现已丢失和逃跑的同类当它停止喘

气时对于这个这进行到底一声喘气在黑暗中淤泥中回想起某些笑声而并不成为其中的一声笑

或者在那里这就开始了于是人们就将有生活人们就将有刽子手人们就将去旅行人们就将有牺牲者两个三个人们有过的生活人们正有着的生活人们将有的生活

这最后的一种不太好想象我一开始不是作为旅行者而是作为牺牲者我随后不是继续作为刽子手而是继续作为旅行者最终我不是被抛弃

最终我不是被抛弃而是最终作为刽子手

这里头缺少了基本的东西人们会说

这一孤独在其中嗓音讲述它经历它的唯一方法

除非它教会我这个嗓音我的生活在这另一种作为旅行的孤独中就是说不是一种第一段过去一种第二段过去再一种现在而是一种过去一种现在和一种未来里头有什么东西不对头

令人耳目一新的更迭历史预言新闻的更迭我轮流学习的日子无疑是它保存了我曾是如何我的

生活人们总是谈到我的生活

曾是如何在皮姆之前曾是如何和皮姆一起曾是如何目前的撰写

曾是如何和波姆一起是如何将是如何和皮姆一起

是如何将是如何和波姆一起将是如何在皮姆之前

曾是如何我的生活总是和皮姆一起是如何将是如何和波姆一起

转瞬即逝的印象我援引打算分三个部分或篇章来介绍这样的一件事情仔细瞧的话它可以包含四个部分人们有可能做得不完整

对这最终正在结束的第三部分应该很正常地加上一个第四部分在那里人们会看到在目前的撰写中所存在的不太看得见或根本看不见的其他千百种东西中间有这一东西

在我的位子上换作我正在把开罐头刀插入皮姆波姆的屁股正在把它插入我自己的屁股

就没有皮姆的叫喊而有他的歌声他的破嗓音他将听到类似的东西将会把它们跟我的叫喊我的歌声我的嗓音相混淆

但是我们将永远也看不到波姆正在喘气在黑暗中淤泥中我将留在痛苦中嗓音将如此形成我援引对我们整个的生活它只说出四分之三

一会儿第一第二和第三部分一会儿第二第三和第四部分

里头有什么东西不对头

这样一来它就很反感如下的做法篇章甚至也在它双重的外表下成对成双在同一个交流中出现两次就如同是这样的一种情况如果说它并没有让我在一开始就作为旅行者如在目前的撰写中那样或者还是作为被抛弃者如在同样可能的撰写中那样它会让我从一开始就成为刽子手或者牺牲者

于是要调整刚刚说出的话它能达到这一地步通过在它的位子上说对我们整个生活的四部分对四分之三它只掌握了两部分准备好了要交流

四分之三其中的第一部分在目前的撰写中是旅行四分之三其中的第一部分在能被辩护的撰写中是抛弃

厌恶很容易得到允许假如人们愿意认为那两种孤独旅行的孤独和抛弃的孤独很明显地有所区别由此值得专门去另外对待假如人们认为那两个对子即我作为刽子手出现在北边的那个以及我作为牺牲者出现在南边的那个构成的是完全相同的场景

由于已经作为刽子手待在皮姆的旁边经历过第二部分那么我就不用去了解第四部分在那里我会作为牺牲者待在波姆的旁边去经历那么这一篇章稍稍宣布一下也就足够了波姆来到右腿右胳膊又推又拉十米十五米

或者激情感觉突然一下子对它发生了兴趣还有这可以有什么用吗我援引它引起痛苦微微地漂浮在那里微微地颤抖

可以有用它引起痛苦让别人痛苦它叫喊让人们把它静静地留在淤泥中黑暗中结结巴巴十秒钟十五秒钟的太阳云彩大地海洋蓝色的斑点明亮

的夜以及一个造物站立或者能够站立依然始终是同一个想象一直到底寻找着一个洞人们再也见不到它在这童话故事中它喝这一滴生命的尿把它拿给他的尸体喝因为那是某个人每人都有份就如我们的公正所要求的那样而它永远不结束它也要求这样全都死去或者没有人

于是有两种可能的撰写目前的那种和另外一种它正是从我们眼下的那一种结束的地方开始的因此它将会以淤泥中黑暗中的旅行作为结束旅行者右腿右胳膊又推又拉如此说来是来自乌有之地来自乌有之人如此说来也在走向那里他一直就在旅行他还将一直旅行下去拖着他的口袋里面的生活用品越来越少但比起胃口的减小来要慢得多

但愿眼下的交流即认识走一个反方向一旦从左到右地经过那流动能从右到左地回溯没有任何东西会妨碍它

条件是要有一种想象上的努力对子的篇章留在中央也就是说调整得恰当一些

里头有什么东西不对头

所有这一切曾在外面当它停止喘气时一些碎片在我心中十秒钟十五秒钟所有这一切更低沉更微弱不那么明亮但是意思在我心中当这平静下来那气息人们说到一种气息生命的保障当这平静下来就像最后一丝气在光明中然后又继续每分钟一百一十次一百一十五次当这平静下来十秒钟十五秒钟

正是在那时我听到了它我在这里的生活一种在某个地方的生活我可能有过现在还有着将来还会有一些碎片从头到尾一段很长的时间一个很老的故事我那陈旧的生活每一次皮姆离开我时一直到波姆找到我为止它都在那里

一些词嘎嘎然后在我心中当它停止喘气时一些碎片很低沉这一陈旧的生活同样的词同样的碎片几百万次而每一次第一曾是如何在皮姆之前在这之前依然和皮姆一起在皮姆之后在波姆之前是如何将是如何所有这一切一些词为了所有这一切在我心中我听到它们喃喃念叨它们

我的生活十秒钟十五秒钟正是在那时我有了它喃喃念叨它这更好更有逻辑脸下部的简短动作带着在淤泥中的喃喃声

一个古老的嗓音来得不清楚听得不清楚喃喃得不清楚一些糟糕的碎片给克拉姆他听着克里姆后者记录或者只有克拉姆一人一个人就足够了克拉姆唯一的证人和书记员他的火照亮了我克拉姆跟我在一起俯在我的身上直到年龄的限制然后他的儿子他的孙子依此类推

跟我一起当我旅行时跟我一起跟皮姆一起跟我一起被抛弃第三和最后部分跟我一起跟波姆一起度过岁月他们的火照亮了我

他们的笔记本上面记着一切尽管没有什么可记我的所作所为我的动作举止我的喃喃声十秒钟十五秒钟第三和最后部分目前的撰写

我的生活一个嗓音在外面嘎嘎从四处传来一些词一些碎片随后什么都没有随后是另外一些另一些词另一些碎片同样的没说清楚没听清楚随后什么都没有一段很长的时间随后在我心中在小地窖中骨头般的洁白一些碎片十秒钟十五秒钟听得不清楚喃喃得不清楚听得不清楚记得不清楚我整个的生活结结巴巴六次被剥皮

它停止喘气我听到它我的生活我有它我喃喃念叨它这更好更有逻辑对于克拉姆他可以记录而

假如我们没有数目一些克拉姆没有数目假如人们愿意的话或者只有一个我的那个我的克拉姆那么这里让正义来统治就够了一种唯一的生活整整一种生活而不是两种生活我们的公正克拉姆不是我们的人理性的人我还留有理性他的儿子做了他的儿子离开了光明克拉姆回溯而上结束他的日子

或者没有克拉姆这也是当它停止喘气时一只耳朵在什么地方在上面一直到那里喃喃声升高了假如我们没有数目一些喃喃声没有数目全都一样我们的公正一种唯一的生活到处都说得不清楚听得不清楚嘎嘎从四处传来随后在里头当它停止喘气时十秒钟十五秒钟在小小的罐头中骨头一般洁白假如有一种枯燥的光线一些老词听得不清楚喃喃念叨得不清楚那个喃喃声那些喃喃声

倒在我们无数嘴巴的淤泥中它们上升的地方有一只耳朵一种精神以理解那种记下我们忧虑的可能性那种记下理解一只耳朵的好奇性的欲望以听到即便不太清楚那些碎片另一些乱七八糟的古老碎片

古老得无法追忆也不会死去如我们那样耳朵人

们谈到一只耳朵在上面在光明中在这种情况下对于我们极其开心的日子在不知疲倦地倾听永不变化的赞美诗叠句中对我们来说一种变化的微弱标志一天甚至名誉中的一种终结始终公正

或者对于公正如同对于我们每一次第一次在这一情况下没有任何问题

或者为乌鸦而生的脆弱的种类当漫长的夜终于让位给了白天而稍后一些时候没完没了的白天让位给了黑夜但是我们这一生活曾是如何是如何并肯定还有将是如何生来不是为了这个的第二次接着而来而在这一情况下照样也没有什么惊喜能预想到

所有这一切在其他东西之中那么多的其他东西说得不清楚听得不清楚记得不清楚唯一的结局很可能白的就在白的之上那么多那么多字词的痕迹接受得不清楚发现得不清楚归还得不清楚对此耳朵在这些条件下理解我们忧虑的禀赋记录的方法何等地重要

对它对职员对口袋很可能对口袋对生活用品还是这些词口袋我们见到过它

口袋我们见到过它由于对我们来说它更是机会而不是一种简单的食品柜可以在需要的时候更及时地出现在我们面前

这些词始终在它们自己的位子上始终在第三和最后部分的结尾目前的撰写在结尾然后就是沉默不简短的喘气接不上气来的动物嘴巴半张半闭在淤泥中随后始终如一当它停止喘气时十个词十五个词很低沉在淤泥中

稍晚些时候更晚些时候当这些持续时段都停止时我的上帝十个其他的十五个其他的在我心中更低沉仅仅是一声喘息然后从嘴巴到淤泥总之嘴唇尖的吻轻微的吻

如同什么呢从头到尾最后的推理这些口袋这些口袋必须理解试图理解不计其数的口袋在那里跟我们一起用于我们不计其数的旅行在这狭窄的轨道上一米一米半所有人都各就各位已经在出发点上如同我们曾是的那样全都各就各位在这一进程无法想象的出发点上这不是不可能的

不可能我们本应该现在仍然应该而且永远应该我们中的每一个人在每一次旅行中为了触及他的牺牲者穿越了大山而我们的进程我们见到过

了假如它很艰难的话地盘地盘必须明白没有事故没有任何的不平等我们的公正

最后的推理最后的数字 777777 号离开了 777776 号不知不觉地走向了 777778 号马上发现了口袋若是没有它的话他本来是走不远的他一把抓过它来继续他的路程这同一道路此后将有 777776 号然后还有 777775 号来走依此类推直到令人难以想象的 1 号而在这道路上每个人刚刚出发就会找到他的旅行必不可少的口袋直到到达之前不久他才可能摆脱它我们已经看到了

因此假如所有的口袋在一开始都各自归了位如同我们那样这一假设就是一种在轨道上的如此的积累甚至是在一个小小的空间中的大集中因为我们已经看到了每个人都在自己的刽子手被抛弃之后就发现了自己的口袋应该如此假如他要触及他的牺牲者假如人们想让他触及他的话

在轨道的入口处是口袋堆积得如此厉害以至于任何的行程都不可能了而令人无法想象的第一推动力刚刚加到结队而行的人身上它就会被永远地卡住而凝固在不公正之中

于是从左到右或者从西到东可怕的场景直到黑夜一段段时间来到被抛弃的刽子手将永远不会变成牺牲者然后一个小小的空间然后结束他简短的旅行被压扁在一座生活用品的山脚下牺牲者永远也不会变成刽子手然后一个很大的空间然后另一个被抛弃者依此类推直至永远

因为很显然会被如此划分每一段轨道每一节轨道都被包括在两个连续的对子两个连续的被抛弃者之间这就要看不同的情况人们观察轨道谈论轨道是在出发之前还是在旅行之中这又停止了很显然会被如此阻塞每一段每一节而出于同样的理由我们的公正

由此第十亿次地需要第三和最后部分目前的撰写到最后在沉默喘气之前而没有间断为了让我们变得可能我们的配对旅行和抛弃需要某个人不是我们的人一种智力在某个地方一种爱情它要沿着整个轨迹在一些很好的地方按照我们的不时需要而放下我们的口袋

在对子和被抛弃者的十米十五米在东边按照引导是在出发之前做的还是在旅行期间做的所谓的好地方就在那里

鉴于我们的数目对此需要赋予一些例外的能力在人身上或者在他们无穷帮助的顺序上还有在为了简化需要有时候十秒钟十五秒钟赋予耳朵的人身上尽管克拉姆被取消了我们的喃喃声在欢呼冒着成为沙漠之花的危险

这极其微小的智力要是没有的话它就会是一只耳朵就像我们的耳朵那样而我们这奇怪的忧虑人们在我们中间却找不到而我们所没有的记录的欲望和方法

职位的合并可以轻易允许假如人们真的认为对我们喃喃声中唯一的一个的倾听和它的撰写是对所有人的倾听和撰写

而突然光芒照在了不知什么时刻重新变新了的口袋上在两人生活的一个随便什么时刻既然我们看见了它我们还在看到它正是在牺牲者旅行时被抛弃的刽子手喃喃而言或者那时候钟声敲响人们走向进程这还是可能的这是一道可怜的光芒

对此有时候需要归咎于这一嗓音对我们所有人的嘎嘎这里就有当它停止喘气时十秒钟十五秒钟最后的一些碎片完全应该保留下来在什么样

的状态中

这就是那脚步声我们的脚步声我们终于来到了它倾听自己并竖起耳朵来听我们的喃喃声只是竖起耳朵听一个自编的故事构思得不清楚说得不清楚而每一次都是如此古老如此地被遗忘以至于它可以显得与我们在淤泥中对他喃喃念叨是那么相同

而这一在淤泥中黑暗中的生活他的快乐与苦难亲密的旅行以及抛弃仿佛一个唯一的嗓音不断地被打碎一会儿我们中的一半一会儿另一半我们散发出它来当它停止喘气时在他几乎刚刚把它形成模样时

于是不知疲倦地每隔二十来年或者四十来年便说到他的数字中的某一些他提醒了我们那些被抛弃者重大的线条

这一无名的嗓音说着嘎嘎对自己也对我们所有人一开始在外面在四处然后在我们的心中一些碎片当它停止喘气时勉强能够听见当然有些不自然最后一直到新的观点那个人的嗓音在倾听我们喃喃念叨我们自己我们所是之前就在尽力地学习

那个人我们全靠了他才从来不缺生活用品并凭借这一点能够不歇息不停止地前进

那个人我的天我始终援引他有时候应该在问自己对这些无休止的提供交流倾听和撰写他是不是不会给予一个了结同时又把我们保留在某种没有终点的生存中一种没有差错的公正中人们将做到只要

而假如最终他没有兴趣来以另外的方式讲述这个让我们一劳永逸地知道比方说这一多样性并不是为我们的在其中我们会从孤独的旅行者变成我们马上要接触的人的刽子手从被抛弃者变成他们的牺牲者

这整个黑色的空气团团地穿越我们的队列就像是在一个隐居地中我们的对子和我们的孤独既是旅行中的也是抛弃中的

但是实际上从无法想象的第一个一直到同样无法想象的最后一个我们全都彼此粘连在一起在一种没有重复的鳞状排列的肌肤中

因为我们见到过它第二部分曾是如何和皮姆一

起逐渐接近直到彼此碰触嘴和耳朵拉动一个轻微的肌肤重叠在肩膀的区域

彼此之间如此直接的连接我们中的每一个同时都是波姆和皮姆刽子手牺牲者学监差生提问者沉默的保卫者而一句重新找到的话的戏剧在黑暗中淤泥中那里没有什么要改正的

这就是最后的那些数字777777号始终还是他自己就在他把开罐头刀插入777778号屁股中的时候而获得的回答是一声微弱的叫喊我们看到了他他以在脑袋瓜上的一击干净利索地割开了与此同时以同样的方式受到777776号的挑战也同样释放出他的抱怨同样的命运

里头有什么东西不对头

他在被777776号挠胳肢窝的那一刻唱了起来他通过施展同样的手段从777778号那里获得了让他做同样动作的结果

依此类推在整个的链条中在两个相反的方向上对于我们所有其他的欢乐和痛苦这一无法测量的泥坑中那两个无法想象的尽头我们一一地获得并忍受它们

表达要有所细微区别当然要借助于我们的界限和可能性的光芒但是它将永远有优点通过取消任何的旅行任何的抛弃而同时取消任何的口袋任何的嗓音嘎嘎然后在我们心中当它停止喘气时

而那进程看起来应该是永存的我们的公正要让它停住而又不让我们中的任何一个受到损害因为真的要想让它停住而又不事先对我们的队列关门两件事情只能做到其中一件

人们在结对子阶段停住它而在这一情况下我们中的一半是永恒的刽子手另一半是永恒的牺牲者

人们在旅行阶段停住它而在这一情况下就是孤独当然确定是对所有人的但是不在公正中因为旅行者生活当然应该把一个牺牲者归于他但他将永远不会有更多的牺牲者就如同被抛弃者将永远不会有更多的刽子手那样尽管生活当然会把一个刽子手归属给他

还有其他的不公道不知道它们喘气喘得更厉害一个不公道足矣最后的碎片完全彻底当它停止

喘气时试图抓住最后的喃喃完全彻底

一开始如同什么而为了结束带着我们的这一脚步

他的梦能够终结我们的旅行抛弃需要生活用品和喃喃声

对整个自然逼人的提供其结果都是为了他

并未由此减缩为一下子深入我们所有人当中一直到无法想象的最后一个在这黑黑的淤泥底下再也没有任何东西会来污染表面

在公正和我们基本活动的保留中

这一新的表达也可以说这一新的生活为的是跟这些东西告别

问题突然尽管我们所有的躯体全如此地聚集在一起我们却还没有表现出一种从西到东的缓慢的迁移人们试图

假如人们真的认为作为刽子手的时候我们的兴趣是不是要安静地留在原地而作为牺牲者的时

候它却要我们离开

当这两种愿望在我们每一个人心中斗争起来时正常情况应该是第二个更占上风哪怕只是占一点点上风

因为我们看到了它在旅行和抛弃的时候这甚至十分惊人当人们想到这一点时只有牺牲者们在旅行

他们的刽子手如同发了呆似的不但没有跟在他们的后面紧追不舍右腿右胳膊又推又拉十米十五米反而停在那里而在那里被抛弃者也许后悔他们的努力但这也是我们的公正的结果

尽管这后者由于一种总体的慌乱而有所减少人们看不到

对任何一个个体来说都包含着同一种义务它恰恰就是毫不恐惧地逃走而它在毫无希望的追踪中完成

而假如人们还能够在这一晚来的时刻孕育出其他的世界

跟我们的世界一样公正但构建得不那么精妙

一个也许这里有一个相当慈悲的也许来庇护如此的嬉戏在其中任何人从来都不抛弃任何人任何人也都不等待任何人两个躯体也从来不彼此碰触

假如没有生活用品支撑我们我们就可能由此把我们拉向我们的痛苦它们从西向东地聚集走向一种并不存在的和平这么说可能会显得很奇怪我们被恳求着好好地认为

对于像我们这样的人无论人们对我们讲述的方式如何在一声叫喊中不再有食粮甚至在那个沉默是唯一财产的人一声不由自主的叹气中或者在那个终于失去了话语用处的人被强夺的话语中沙丁鱼将永远不会提供用处

最后为了跟所有这一切告别最后的碎片完全彻底当它停止喘气时为了跟这一嗓音甚至就是这一生活告别

我们的这一脚步贫嘴疯子他也是厌倦了要跟他最终告别

在手底下他是不是总是有我援引一个更为简单
同时也更为基本的解决办法

一种表达在同时完全取消了它并为它打开了这
一种休息的道路至少让我让我一个人变得对这
种无法形容的喃喃负有责任这样一来就最终有
了最后的碎片完全彻底

在我对我自己提问并且我自己回答的熟悉形式
下这可能会显得特别不真实最后的碎片完全彻
底当它停止喘气时最后的喃喃声完全彻底这可
能会显得特别奇怪

假如所有这一切所有这一切是的假如所有这一
切不是这怎么说呢不是回答假如所有这一切不
是虚假的是的

事情就是另外一种面貌是的完全彻底地是的但
是如何没有回答这又是如何发生没有回答到底
发生了什么事号叫好的

发生了某种事情是的但是这一切中没有任何什
么是从头到尾无关紧要的废话是的这一嗓音嘎
嘎是的废话是的一种嗓音在此是的我的嗓音是
的当它停止喘气时是的

当它停止喘气时是的这么说这是真的是的喘气是的喃喃是的在黑暗中是的在淤泥中是的在淤泥里是的

同样很难相信是的我有一个嗓音我是的在我心中是的当它停止喘气时是的不在别的时候不是的我喃喃念叨是的在黑暗中是的淤泥中是的什么都不为是的我是的但是必须相信它是的

而淤泥是的黑暗是的清新是的淤泥和黑暗是清新的是的那里没有什么要遗憾的没有

但是这些关于嗓音的故事是的嘎嘎是的其他的世界是的在另一个世界中的某人是的我会像一场梦是的他会时时地做梦是的时时地讲述是的他唯一的梦是的他唯一的故事是的

这些关于放下的口袋的故事是的头上有着一根绳子毫无疑问是的有一个耳朵在听着我是的有我的一种忧虑有一种记录的能力是的所有这一切废话是的克里姆和克拉姆是的一堆废话是的

这些关于上面生活的故事是的光明是的天空是的一点点蓝色是的一点点白色是的旋转的大地

是的明亮的和不太明亮的是的小小的场景是的
一堆废话是的女人们是的狗是的祈祷家园是的
废话是的

这个关于进程的故事没有回答这个关于进程的
故事是的从来没有进程没有也没有旅行没有从
来没有过皮姆没有也没有过波姆没有从来没有
过任何人没有只有我没有回答只有我是的这么
说这是真的是的我这是真的是的而我我叫我自
己如何没有回答**我我如何叫我自己**喊叫好的

而我无论如何是的独自是的在淤泥中是的黑暗
中是的这就撑住了是的淤泥和黑暗撑住了是的
那里没什么可遗憾的没有遗憾对我的口袋没有
遗憾请便没有遗憾对没有口袋也没有遗憾甚至
没有一只口袋跟着我没有遗憾

而我是的独自是的带着我的嗓音是的我的喃喃
声是的当它停止喘气时是的所有这一切都撑得
住是的喘气是的越来越厉害没有回答**越来越厉
害**是的肚皮贴地是的在淤泥中是的黑暗中是的
那里没什么可遗憾的没有遗憾交叉着胳膊没有
回答**交叉着胳膊**没有回答**是的或不是的**是的

从来没有侧对步地爬行没有右腿右胳膊又推又

拉十米十五米没有从来没有动弹没有从来没有让人痛苦没有从来没有痛苦没有回答**从来没有痛苦**没有从来没有抛弃没有从来没有被抛弃没有那么这就是在此的生活没有回答**这就是我在此的生活**喊叫好的

独自在淤泥中是的黑暗中是的肯定是的喘气是的有人听见我不对没有人听见我没有人有时候喃喃念叨是的当它停止喘气时是的不在别的时间里不在在淤泥中是的在淤泥里是的我是的属于我自己的嗓音是的不属于别人的是的只属于我一个人的是的肯定是的当它停止喘气时是的越来越远一些字词是的一些碎片是的没有任何人听见是的但是越来越弱没有回答**越来越弱**是的

那么这可以改变没有回答结束没有回答我可能窒息没有回答被吞没没有回答不再弄脏淤泥没有回答黑暗没有回答不再扰乱沉默没有回答丧命没有回答**丧命**喊叫**我会丧命**喊叫**我将丧命**喊叫好的

好的好的第三和最后部分结束这就是曾是如何援引结束在皮姆之后是如何

图书在版编目（CIP）数据

贝克特作品选集.8,是如何/（爱尔兰）贝克特（Beckett,S.）著；余中先译.—长沙：湖南文艺出版社，2013.12（2025.6重印）
ISBN 978-7-5404-6468-4

Ⅰ.①贝… Ⅱ.①贝… ②余… Ⅲ.①文学-作品综合集-爱尔兰-现代②长篇小说-爱尔兰-现代 Ⅳ.①I562.15

中国版本图书馆CIP数据核字（2013）第262635号
著作权合同登记号：图字18-2013-201

贝克特作品选集8
BEIKETE ZUOPIN XUANJI 8
是如何
SHI RUHE

著　　者：	[爱尔兰]萨缪尔·贝克特		
译　　者：	余中先		
出版人：	陈新文	监　　制：	谭菁菁
责任编辑：	冯　博　李　颖	责任校对：	舒　专
特约编辑：	陈美洁　陈莎莎	装帧设计：	CANTONBON
出版发行：	湖南文艺出版社		
印　　刷：	长沙超峰印刷有限公司		
经　　销：	新华书店		
开　　本：	787 mm×1092 mm　1/32		
印　　张：	6		
字　　数：	98千字		
版　　次：	2013年12月第1版		
印　　次：	2025年6月第2次印刷		
书　　号：	ISBN 978-7-5404-6468-4		
定　　价：	39.00元		